Er zijn geen slangen in Ierland

2440

Van dezelfde auteur

De dag van de jakhals
De honden van de oorlog
Geheim dossier Odessa
Het Vierde Protocol
Het alternatief van de duivel
De onderhandelaar
De verrader

Frederick Forsyth

Er zijn geen slangen in Ierland

Zwarte Beertjes

Oorspronkelijke titel
The Emperor, A Careful Man, There Are No Snakes In Ireland, Duty, The Racket, There are
some days, Sharpe Practice
© 1972, 1973, 1979, 1982 by Frederick Forsyth
Vertaling
J.F. Nissen-Hossele
© 1992 A.W. Bruna Uitgevers B.V., Utrecht

ISBN 90 449 2440 0
NUGI 331

Inhoud

Er zijn geen slangen in Ierland

McQueen keek met een wat sceptische blik over zijn bureau naar de jongeman, die naar een baantje kwam solliciteren. Zó een had hij nog nooit in dienst gehad. Maar hij was niet kwaad en als de werkzoekende het geld nodig had en zijn handen uit de mouwen wilde steken, had McQueen er niets op tegen hem een kans te geven.

'Je weet, dat het verdomd zwaar werk is?' zei hij met zijn sterke Belfast-accent.

'Ja, meneer,' zei de sollicitant.

'Het is een haastklus, opschieten en wegwezen; hoe het gebeurt maakt niet uit. Je werkt voor een totaal bedrag. Weet je wat dat inhoudt?'

'Nee, meneer McQueen.'

'Nou, dat betekent dat je goed betaald wordt, maar handje contantje en geen administratieve rompslomp. Snap je?'

Hij bedoelde, dat er geen loonbelasting werd afgedragen en er geen ziekenfondspremie werd afgetrokken. Hij had er nog bij kunnen vertellen, dat er met de volksverzekeringen de hand werd gelicht en men de veiligheidsregels aan de laars lapte. Het ging er om, dat iedereen snel even een hoop geld verdiende met voor hem zelf als aannemer een flinke portie extra van de winst. De bezoeker knikte even als teken, dat hij het 'gesnapt' had, al was het hem niet duidelijk. McQueen keek hem met een taxerende blik aan.

'Je bent dus medisch student, zeg je, het laatste jaar in het Koningin Victoria Ziekenhuis?' Weer een knikje. 'Zomervakantie, zeker.'

Opnieuw een knikje. De sollicitant was blijkbaar zo'n student die naast zijn toelage geld nodig had om zijn medicijnenstudie te betalen. McQueen, in zijn armoedige kantoortje in Bangor, dreef een louche zaakje als aannemer van sloopkarweitjes, met een handelskapitaal bestaande uit een gammele vrachtwagen en een partij tweedehands mokers. Hij ging er prat op dat hij het zover geschopt had en was een warm voorstander van de Ulster protestantse arbeidsethiek. Het kwam dan ook niet bij hem op om iemand anders die er verwante denkbeelden op nahield, tegen te werken, hoe hij er verder ook uit mocht zien.

'Mooi,' zei hij. 'Je kunt het beste hier in Bangor een kamer huren, anders kun je nooit uit Belfast op tijd hier zijn en weer naar huis. Wij werken van 's morgens zeven uur tot zonsondergang. Het werk is op uurbasis, zwaar maar goed betaald. Eén woord tegen de autoriteiten en je vliegt er meteen uit. Afgesproken?'

'Ja, meneer. Wanneer en waar moet ik beginnen, als ik vragen mag?'

'De vrachtwagen komt iedere ochtend om half zeven de ploeg op het plein voor het station ophalen. Zorg dat je er maandagmorgen bent. De voorman van de ploeg is Big Billie Cameron. Ik zal tegen hem zeggen dat je komt.'

'Ja, meneer McQueen.' De sollicitant draaide zich om, om weg te gaan.

'Nog één ding,' zei McQueen, met opgeheven potlood. 'Hoe heet je?'

'Harkishan Ram Lal,' zei de student. McQueen keek naar zijn potlood, naar het lijstje vóór hem en naar de student.

'We noemen je Ram,' zei hij en dat was de naam die hij op het lijstje schreef.

De student liep naar buiten, de heldere juli-zon van Bangor in, aan de noordkust van het graafschap Down in Noord Ierland.

Nog die zaterdagavond had hij een goedkope kamer gevonden in een morsig kosthuis halverwege Railway View Street, een straat in het hart van Bangor, waar het wemelde van de pensions met logies en ontbijt. Het lag in ieder geval handig dicht bij het station, waar de vrachtwagen van het bedrijf 's morgens direct na zonsopgang zou vertrekken. Uit het vuile raam van zijn kamer kon hij pal op de spoordijk kijken, waarover de treinen uit Belfast het station inreden.

Het had hem wel enige moeite gekost om een kamer te krijgen. De meeste huizen met een L(ogies) en (O)ntbijt-bordje voor het raam bleken helemaal volgeboekt te zijn, zodra hij zich op de stoep vertoonde. Maar het was inderdaad waar, dat er midden in het zomerseizoen een heleboel losse werkkrachten het stadje in kwamen zwerven; het was eveneens waar dat mevrouw McGurk katholiek was en dat zij nog kamers vrij had.

Hij besteedde de zondagmorgen aan het overbrengen van zijn bezittingen uit Belfast, hoofdzakelijk bestaande uit medische studieboeken. 's Middags lag hij op zijn bed aan het harde licht op de bruine heuvels van zijn vaderland Punjab te denken. Nog één jaar en dan was hij een bevoegd arts en na nog een jaar als internist zou hij teruggaan naar huis om de ziekten van zijn eigen volk te gaan genezen. Dat was zijn droom. Hij dacht deze zomer genoeg geld te kunnen verdienen om tot aan zijn eindexamen te kunnen leven en daarna kreeg hij een eigen salaris.

Op maandagochtend stond hij op bevel van zijn wekker om kwart voor zes op, waste zich met koud water en stond even over zessen op het stationsplein. Het was nog vroeg genoeg. Hij vond een café dat al open was en dronk twee kopjes thee zonder melk. Dat was zijn hele ontbijt. De gammele vrachtwagen, bestuurd door iemand van de slopersploeg, was er om kwart over zes en er verzamelden zich een stuk of twaalf mannen omheen. Harkishan Ram Lal wist niet of hij naar ze toe moest gaan om zich voor te stellen of op een afstand wachten. Hij bleef staan wachten.

Om vijf voor half zeven arriveerde de voorman in zijn eigen auto, parkeerde hem op een zijweggetje en beende naar de vrachtwagen toe. Hij had het lijstje van McQueen in zijn hand. Hij keek even naar de twaalf mannen, herkende ze allemaal en knikte. De Indiër kwam naderbij. De voorman keek hem verbolgen aan.

'Ben jij die zwarte, die door McQueen te werk is gesteld?' wilde hij weten.

Ram Lal bleef stokstijf staan. 'Harkishan Ram Lal,' zei hij. 'Jawel.'

Je hoefde niet te vragen hoe Big Billie Cameron aan zijn naam was gekomen. Hij was één meter negentig lang op kousevoeten, maar hij droeg grote met spijkers beslagen laarzen met stalen neuzen. Armen als boomtakken hingen aan zware schouders en op zijn hoofd had hij een bos rood haar. Twee kleine ogen met bleke wimpers staarden onheilspellend naar de dunne tengere, gespierde Indiër. Het was duidelijk dat hij er niet al te blij mee was. Hij spuwde op de grond.

'Nou, stap maar in die vrachtwagen,' zei hij.

Op de rit naar het werkterrein zat Cameron in de cabine, die niet van de achterkant van de vrachtauto gescheiden was, waar de twaalf arbeiders op twee houten banken langs de zijkanten zaten. Ram Lal zat bij de achterklep naast de kleine, gebruinde man met helblauwe ogen, die Tommy Burns bleek te heten. Hij zag er vriendelijk uit.

'Waar kom jij vandaan?' vroeg hij, echt nieuwsgierig.

'Uit India,' zei Ram Lal. 'De Punjab.'

'Wat, waar?' zei Tommy Burns.

Ram Lal glimlachte. 'De Punjab is een deel van India,' zei hij.

Burns dacht daar een poosje over na. 'Jij protestant of katholiek?' vroeg hij tenslotte.

'Geen van tweeën,' zei Ram Lal geduldig. 'Ik ben een hindoe.'

'Bedoel je dat je geen christen bent?' vroeg Burns verbaasd.

'Nee. Mijn geloof is de hindoe-godsdienst.'

'Hé,' zei Burns tegen de anderen, 'die man is niet eens een christen.' Hij was niet verontwaardigd, alleen maar verwonderd, als een kind, dat een nieuw intrigerend stuk speelgoed heeft ontdekt.

Cameron draaide zich uit de cabine voorin om. 'Ja,' gromde hij, 'een heiden.'

De glimlach verdween van Ram Lals gezicht. Hij staarde naar de canvas wand van de vrachtwagen tegenover hem. Intussen waren ze al een eind ten zuiden van Bangor en rammelden over de autoweg naar Newtownards. Na een poosje begon Burns hem aan de anderen voor te stellen. Er waren een Craig, een Munroe, een Patterson, een Boyd en twee Browns. Ram Lal had lang genoeg in Belfast gewoond om de namen te herkennen als van Schotse oorsprong, teken van de steile Presbyterianen, die de ruggegraat van de protestantse meerderheid van de Zes Graafschappen uitmaken. De mannen leken welwillend en knikten tegen hem terug.

'Heb je geen broodtrommeltje, jongen?' vroeg de oudere man, die Patterson heette.

'Nee,' zei Ram Lal, 'het was te vroeg om mijn hospita te vragen er een klaar te maken.'

'Je moet voor 's middags brood bij je hebben,' zei Burns, 'ja, en voor het ontbijt ook. Wij zetten zelf thee op een vuurtje.'

'Ik zal er voor zorgen een trommeltje te kopen en morgen eten mee te nemen,' zei Ram Lal.

Burns keek naar de laarzen met de zachte rubberzolen van de Indiër. 'Heb je zulk werk nog nooit gedaan?' vroeg hij.

Ram Lal schudde zijn hoofd.

'Je moet wel een paar stevige laarzen hebben. Om je voeten te sparen, weet je wel.'

Ram Lal beloofde dat hij in een dumpwinkel ook nog een paar

zware legerlaarzen zou kopen, als hij er een kon vinden die 's avonds laat nog open was. Ze waren Newtownards al door en reden nog steeds in zuidelijke richting op de A21 naar het plaatsje Comber. Craig tegenover hem keek hem aan.

'Wat is je eigenlijke werk?' vroeg hij.

'Ik ben medisch student in het Koningin Victoria Ziekenhuis in Belfast,' zei Ram Lal. 'Ik hoop volgend jaar af te studeren.'

Tommy Burns was opgetogen. 'Dat is bijna net zo ver als een echte dokter,' zei hij. 'Zeg, Big Billie, als iemand van ons een opdonder krijgt, dan kan de jonge Ram hem oplappen.'

Big Billy gromde. 'Als hij maar met zijn poten van mij afblijft,' zei hij.

Dat was het eind van verdere gesprekken tot ze op het werkterrein kwamen. De bestuurder was uit Comber in noordwestelijke richting gereden en na vijf kilometer op de weg naar Dundonald hobbelde hij rechtsaf een pad over tot ze tot stilstand kwamen op de plek waar de bomen ophielden en ze het gebouw zagen dat gesloopt moest worden.

Het was een hele grote oude whisky-distilleerderij, scheefgezakt en lang verwaarloosd. Het was een van de twee fabrieken in deze streek geweest, die ooit goede Ierse whisky hadden geproduceerd, maar jaren geleden ermee was opgehouden. Hij stond langs de rivier de Comber, die vroeger het grote waterrad had aangedreven, terwijl hij van Dundonald naar Comber stroomde en vandaar verder om zich uit te storten in Strangford Lough. De mout werd met paard en wagen over het pad aangevoerd en de vaten whisky waren langs dezelfde weg teruggegaan. Het zoete water dat de machines had aangedreven was ook in de vaten gebruikt, maar de distilleerderij had jarenlang eenzaam en verlaten leeggestaan.

Natuurlijk hadden de kinderen uit de buurt er ingebroken en hadden er een ideale plek gevonden om te spelen; totdat een van hen was uitgegleden en een been had gebroken. Toen had het provinciebestuur het gebouw geïnspecteerd, verklaard dat het gevaar opleverde en de eigenaar de verplichting opgelegd het af te breken.

Deze, een telg van een oud geslacht van grondbezitters die betere tijden hadden gekend, wilde het werk zo goedkoop mogelijk uitgevoerd hebben. Zodoende kwam hij bij McQueen terecht. Het kon vlugger maar beter worden gedaan met zware machinerie; Big Billie en zijn maats deden het met mokers en koevoeten. McQueen had zelfs een afspraak gemaakt om het beste timmerhout en de honderden tonnen oude bakstenen aan een aannemer te verkopen. De rijken wilden immers, dat hun nieuwe huizen een zekere stijl hadden, d.w.z. dat ze er oud uit moesten zien. Er werd dan ook goed betaald voor antieke door de zon gebleekte bakstenen en echte oude houten balken om de nieuwe traditioneel uitziende landhuizen van de directeuren te verfraaien. McQueen zou er wel bij varen.

'Nou, jongens,' zei Big Billie, terwijl de vrachtwagen rammelend naar Bangor terugreed. 'Dat is het dan. We beginnen met de dakpannen. Jullie weten wat je te doen staat.'

Het groepje mannen stond naast de stapel gereedschappen. Er lagen grote voorhamers met zevenponds koppen; breekijzers van een meter tachtig lang en bijna drie centimeter dik; nijptangen van een meter lang met kromme gespleten uiteinden om spijkers uit te trekken; klomphamers met korte steel en zware kop en allerlei soorten houtzagen. De enige concessie aan de veiligheid van de mensen waren een aantal riemen van singelband en enige honderden meters touw. Ram Lal keek omhoog naar het gebouw en slikte eens. Het was vier verdiepingen hoog en hij had hoogtevrees; maar steigers zijn kostbaar.

Een van de mannen liep ongevraagd naar het gebouw, wrikte er een houten deur uit, scheurde hem door als een speelkaart en begon een vuurtje te maken. Even later stond er een kampketeltje met water uit de rivier lustig te koken en werd er thee gezet. Ze hadden allemaal hun emaille kroes behalve Ram Lal. Hij maakte in gedachten een aantekening om dat ook te kopen. Het zou stoffig werk worden dat dorstig maakte. Tommy dronk zijn eigen kroes leeg en bood deze, opnieuw gevuld, aan Ram Lal aan.

'Hebben ze in India ook thee?' vroeg hij.

Ram Lal nam de aangeboden kroes aan. De thee was reeds kant en klaar gemengd, zoet en met veel melk. Hij vond het erg vies.

Ze werkten die hele eerste ochtend hoog op het dak gezeten door. De pannen werden niet bewaard, dus trokken ze deze met de handen af en keilden ze op de grond, van de rivier af. Ze hadden opdracht om de rivier niet met vallend puin te blokkeren, daarom moest het allemaal aan de andere kant van het gebouw terechtkomen, in het met gras, onkruid, brem en doornstruiken begroeide land om de distilleerderij heen. De mannen waren aan elkaar vastgebonden, zodat als er een zijn houvast verloor en van het dak af begon te glijden, de volgende man de spanning opving. Naarmate de pannen verdwenen, verschenen er gapende openingen tussen de daksparren. Beneden hen lag de vloer van de bovenste verdieping, de moutzolder.

Om tien uur liepen ze de gammele binnentrap af naar beneden voor hun ontbijt op het gras met weer een ketel thee. Ram Lal at geen ontbijt. Om twee uur onderbraken ze het werk voor de lunch. De ploeg deed zich te goed aan stapels dikke boterhammen. Ram Lal keek naar zijn handen, die overal schrammen vertoonden en bloedden. Zijn spieren deden pijn en hij rammelde van de honger. Hij maakte weer een aantekening in zijn gedachten om zware werkhandschoenen te kopen.

Tommy Burns hield een boterham uit zijn eigen trommeltje omhoog. 'Heb je geen honger, Ram?' vroeg hij. 'Ik heb genoeg brood, hoor.'

'Wat doe jij nou?' vroeg Big Billie, die tegenover hem in de kring om het vuur zat.

'Ik bied die knaap alleen maar een boterham aan,' zei Burns op verdedigende toon.

'Laat die zwarte zijn eigen brood verdomme maar meebrengen,' zei Cameron. 'Let jij maar op jezelf.'

De mannen keken met neergeslagen blik op hun broodtrommeltjes en aten zwijgend. Het was duidelijk dat niemand tegen Big Billie inging.

'Ik heb geen trek, bedankt,' zei Ram Lal tegen Burns. Hij liep weg en ging bij de rivier zitten, waar hij zijn schrijnende handen in het water hield.

Tegen zonsondergang, toen de vrachtwagen kwam om ze op te halen, was de helft van de pannen op het dak verdwenen. Nog één dag en dan zouden ze aan de daksparren beginnen, werk voor zaag en nijptang.

De hele week door vorderde het werk en werd het eens zo trotse gebouw ontdaan van zijn daksparren, planken en balken, tot het hol en leeg stond, met zijn gapende ramen die als open ogen naar het vooruitzicht van zijn naderende dood staarden. Ram Lal was aan dit soort harde arbeid niet gewend. Zijn spieren deden onafgebroken pijn, zijn handen waren overdekt met blaren, maar hij zwoegde voort om het geld dat hij zo dringend nodig had.

Hij had zich een blikken broodtrommeltje, een emaille kroes, en zware laarzen aangeschaft en een paar stevige handschoenen, die niemand anders droeg. Hun handen waren door jarenlange handenarbeid genoeg gehard. De hele week door treiterde Big Billie Cameron hem onophoudelijk, liet hem het zwaarste werk doen en zette hem op de hoogste punten, zodra hij erachter was gekomen dat Ram Lal daar een gruwelijke hekel aan had. De Punjabi verbeet zijn woede, omdat hij het geld nodig had. Op zaterdag ontplofte de bom.

Het houtwerk was gesloopt en ze waren met het metselwerk bezig. De eenvoudigste manier om het gebouw van de rivier af neer te halen zou geweest zijn, om in de hoeken van de zijmuur aan de open ruimte explosieve lading aan te brengen. Maar dynamiet kon niet gebruikt worden. Daarvoor zou – uitgerekend in Noord Ierland – een speciale vergunning vereist zijn geweest en dat zou de man van de belasting op het spoor hebben gebracht. Deze zou meneer McQueen met zijn hele ploeg gevorderd hebben aanzienlijke bedragen aan inkomstenbelasting te betalen en McQueen zelf nog eens aan sociale verzekeringspremies. Daarom waren ze de muren aan het omhakken in brokken van een meter in het vierkant, gevaarlijk op inzakkende vloeren balancerend, terwijl de steunmuren onder hun hamers versplinterden en barstten.

Onder de lunch liep Cameron een paar maal om het gebouw heen en kwam weer bij de kring om het vuur zitten. Hij begon uiteen te zetten, hoe ze een omvangrijk deel van de ene buitenmuur ter hoogte van de derde verdieping neer zouden gaan halen. Hij wendde zich tot Ram Lal.

'Jij gaat daar boven op,' zei hij. 'En als hij begint te wijken, schop je hem naar de buitenkant.'

Ram Lal keek omhoog naar het bedoelde stuk van de muur. Er liep een grote scheur langs de onderkant.

'Dat metselwerk kan elk ogenblik naar beneden komen,' zei hij op effen toon. 'Iemand die erop zit valt gelijk mee naar beneden.'

Cameron staarde hem met een rood aangelopen gezicht aan en zijn ogen waren roze van woede waar ze wit hadden moeten zijn. 'Bemoei je niet met mijn werk en doe wat je gezegd wordt, stomme rotneger die je bent.' Hij draaide zich om en beende weg.

Ram Lal stond op. Toen zijn stem klonk, riep hij met een schel overslaande schreeuw: *'Meneer Cameron . . .'*

Cameron draaide zich verbaasd om. De mannen zaten met open mond te kijken. Ram Lal liep langzaam naar de grote ploegbaas toe.

'Laten we één ding duidelijk stellen,' zei Ram Lal en zijn stem was duidelijk verstaanbaar voor iedereen in de open ruimte. 'Ik kom uit de Punjab in Noord-India. Ik ben bovendien een Kshatria en behoor tot de kaste der krijgers. Ik mag dan niet genoeg geld hebben om mijn medicijnenstudie te betalen, maar mijn voorouders waren soldaten en prinsen, heersers en geleerden, 2000 jaar geleden, toen die van u nog op handen en voeten in dierehuiden rondkropen. Wees zo goed mij niet meer te beledigen.'

Big Billie Cameron staarde op de Indische student neer. Het wit van zijn ogen was nu helrood geworden. De andere arbeiders waren met stomheid geslagen.

'Meen je dat nou?' vroeg Cameron rustig. 'Echt waar? Nou, er is nu wel het een en ander veranderd, zwarte klootzak. Wat dacht je daar dan wel aan te doen, hè?'

Bij het laatste woord zwaaide hij zijn arm omhoog en liet zijn vlakke hand neerdalen tegen de zijkant van Ram Lals gezicht. De jongeman kwam in zijn volle lengte enkele meters verder op de grond terecht. Zijn hoofd gonsde. Hij hoorde Tommy Burns uitroepen: 'Blijf liggen, jochie. Big Billie vermoordt je als je opstaat.'

Ram Lal keek omhoog in de zon. De reus stond met gebalde vuisten over hem heen gebogen. Hij besefte dat hij in het gevecht geen schijn van kans tegen de grote man uit Ulster had. Gevoelens van schaamte en vernedering overspoelden hem. Zijn voorvaderen hadden met zwaard en lans in de hand over vlakten gereden, honderd maal groter dan deze zes graafschappen, over alles wat voor hen lag zegevierend.

Ram Lal sloot zijn ogen en bleef doodstil liggen. Na een paar tellen hoorde hij de grote man weggaan. Er ontspon zich onder de anderen een zacht gesprek. Hij kneep zijn ogen stijver dicht om de tranen van schaamte terug te dringen. In het donker zag hij de blakerende vlakten van de Punjab en de mannen die eroverheen reden; trotse, vurige lieden, met haakneuzen, baarden, tulbanden en zwarte ogen, de krijgers uit het Land van de Vijf Rivieren.

Eens, lang geleden, in de ochtend van de wereld, was Iskander van Macedonië met zijn brandende, hongerige blik over deze vlakten gereden; Alexander, die de Grote werd genoemd, die op zijn vijfentwintigste geweend had omdat er geen werelden meer te veroveren waren. Deze ruiters waren de afstammelingen van zijn veldheren en de voorvaderen van Harkishan Ram Lal.

Hij lag in het stof terwijl zij langs reden en zij keken in het voorbijgaan op hem neer. Onder het rijden riep ieder van hem slechts één woord tegen hem. Wraak.

Ram Lal krabbelde zwijgend weer op. Het was gebeurd en wat er nog gedaan moest worden moest gedaan worden. Dat was nu eenmaal de gewoonte van zijn volk. De rest van de dag werkte hij verder zonder een woord te zeggen. Hij sprak tegen niemand en niemand zei iets tegen hem.

Die avond begon hij in zijn kamer toen de avond begon te vallen met zijn voorbereidselen. Hij ruimde de borstel en kam van het wankele toilettafeltje en haalde ook het vieze kleedje en de spiegel van de standaard weg. Hij pakte zijn boek over de hindoe-godsdienst en sneed er een pagina grote afbeelding uit van de grote godin Shakti, van macht en gerechtigheid. Deze prikte hij aan de muur boven het toilettafeltje, om er zo een altaar van te maken.

Hij had van een venter voor het station een bosje bloemen gekocht en deze tot een krans gevlochten. Aan de ene kant van het portret zette hij een ondiep kommetje half gevuld met zand en in het zand stond een kaars die hij aanstak. Hij haalde een rolletje stof uit zijn koffer en nam er zes geluksstokjes uit. Hij pakte een goedkoop vaasje met een nauwe hals van de boekenplank, deed ze erin en stak de uiteinden aan. De zoete zware geur van de wierook begon de kamer te doordringen. Buiten kwamen grote donderwolken vanuit zee aanzetten.

Toen zijn altaar klaar was, ging hij er met gebogen hoofd voor staan en begon met de krans in zijn vingers om leiding te bidden. Het eerste gerommel van de donder rolde over Bangor. Hij gebruikte niet het moderne Punjabi, maar het oude Sanskriet, de taal van het gebed. *'Devi Shakti ... Maa ...* Godin Shakti ... grote moeder ...'

Er klonk weer een donderslag en de eerste regendruppels vielen. Hij plukte de eerste bloem en legde hem voor het portret van Shakti.

'Er is mij groot onrecht aangedaan. Ik verzoek om wraak op de dader ...' Hij plukte de tweede bloem en legde hem naast de eerste.

Hij bad wel een uur lang onder het neerkomen van de regen. Die kletterde op de pannen boven zijn hoofd en stroomde langs het raam achter hem. Hij hield op met bidden toen de bui afnam. Hij moest weten in welke vorm de vergelding behoorde plaats te vinden. Hij had de godin nodig om hem een teken te zenden.

Toen hij klaar was, waren de wierookstokjes opgebrand en de kamer was vervuld met hun geur. De kaars spetterde uit. De bloemen lagen allemaal op het glimmende blad van het toilettafeltje voor het portret. Shakti staarde hem onbewogen aan.

Hij draaide zich om en liep naar het raam om naar buiten te kijken. De regen was opgehouden maar achter de ruiten droop alles van het water. Hij zag hoe er een stroompje water uit de goot boven het raam kwam en in een straaltje over het stoffige glas liep, een paadje door het vuil trekkend. Door het vuil liep het niet recht naar beneden maar kronkelde zijwaarts, zodat zijn blik waarmee hij de loop ervan volgde, steeds verder naar de hoek van het raam getrokken werd. Toen het ophield staarde hij naar de hoek van zijn kamer, waar zijn ochtendjas aan een spijker hing.

Hij zag dat het koord van de ochtendjas gedurende de regenbui was losgeraakt en op de grond gevallen. Het lag in elkaar gerold, met de knoop van het ene uiteinde uit het gezicht en de andere zichtbaar op het vloerkleed. Van de dozijn kwastjes waren er slechts twee te zien, als een gevorkte tong. Het in elkaar gerolde koord van de ochtendjas leek als twee druppels water op een slang in de hoek. Ram Lal had het begrepen. De volgende dag nam hij de trein naar Belfast om de Sikh op te zoeken.

Ranjit Singh was eveneens medisch student, maar hij had het geluk dat zijn ouders rijk waren en hem een ruime toelage stuurden. Hij ontving Ram Lal in zijn fraai ingerichte kamer in het tehuis.

'Ik heb bericht van thuis ontvangen,' zei Ram Lal. 'Mijn vader ligt op sterven.'

'Wat naar voor je,' zei Ranjit Singh. 'Ik leef met je mee.'

'Hij vraagt of ik kom. Ik ben zijn eerstgeboren zoon. Ik moet terug.'

'Natuurlijk,' zei Singh. 'De eerstgeboren zoon hoort altijd bij zijn vader te zijn als hij doodgaat.'

'Het gaat om het geld voor de vliegreis,' zei Ram Lal. 'Ik werk en verdien behoorlijk. Maar ik heb niet genoeg. Als je me wat ik tekort kom wilt lenen, zal ik als ik terugkom blijven werken om je terug te betalen.'

Sikhs zijn vertrouwd met het lenen van geld, zolang de rente genoeg en terugbetaling verzekerd is. Ranjit Singh beloofde het geld maandagmorgen bij de bank op te nemen.

Die zondagavond ging Ram Lal bij meneer McQueen in zijn huis in Groomsport op bezoek. De aannemer zat met een blikje bier bij zijn elleboog voor zijn televisietoestel. Het was zijn geliefkoosde manier om een zondagavond door te brengen. Maar hij zette het geluid zacht toen Ram Lal door zijn vrouw werd binnengelaten.

'Het gaat om mijn vader,' zei Ram Lal. 'Hij ligt op sterven.'

'O, wat vind ik dat beroerd voor je, jongen,' zei McQueen.

'Ik moet naar hem toe. De eerstgeboren zoon hoort in zo'n geval bij zijn vader te zijn. Dat is de gewoonte van ons volk.'

McQueen had een zoon in Canada, die hij in zeven jaar niet gezien had.

'Ja,' zei hij. 'Dat lijkt mij inderdaad het beste.'

'Ik heb het geld voor de vliegreis geleend,' zei Ram Lal. 'Als ik morgen ga, zou ik aan het eind van de week terug kunnen zijn. De kwestie is, dat ik die baan nu helemaal erg hard nodig heb, meneer McQueen; om de lening terug te betalen en om het volgende trimester mijn studie te betalen. Als ik met het weekeind terug ben, wilt u die baan dan voor me open houden?'

'Goed,' zei de aannemer. 'Ik kan je voor de tijd dat je weg bent niet doorbetalen en ik kan die baan niet langer dan een week open houden. Maar als je met het weekeind terug bent, kun je weer aan het werk gaan. En denk eraan, op dezelfde voorwaarden.'

'Dank u wel,' zei Ram Lal. 'Dat is erg aardig van u.'

Hij hield zijn kamer in Railway View Street aan, maar bracht de nacht in het tehuis in Belfast door. Maandagochtend vergezelde hij Ranjit Singh naar de bank, waar de Sikh het benodigde geld opnam en aan de hindoe overhandigde. Ram nam een taxi naar het vliegveld Aldergrove en de luchtbus naar Londen, waar hij een goedkoop retourtje voor de eerstvolgende vlucht naar India nam. Een etmaal later landde hij in de zinderende hitte van Bombay.

's Woensdags vond hij in de drukke bazaar in Grant Road Bridge wat hij zocht. Er was bijna niemand meer in het Tropische Vissen en Reptielen Centrum van de heer Chatterjee, toen de jonge student met zijn leerboek over reptielen onder zijn arm binnenslenterde. Hij trof de oude eigenaar, gezeten achter in de winkel in het halfduister aan, temidden van zijn bakken vis en vitrines met glazen voorzijde, waarin zijn slangen en hagedissen de hele hete dag lagen te doezelen.

De heer Chatterjee was geen onbekende in academische kringen. Hij voorzag allerlei medische centra van monsters voor studie en ontleding en voerde af en toe een bestelling uit het buitenland uit, die hem een dikke winst opleverde. Hij knikte begrijpend met zijn witte bebaarde hoofd, toen de student uitlegde wat hij zocht.

'O, ja,' zei de oude Gujerati-koopman, 'ik ken die slang wel. Je boft. Ik heb er een, hij is net een paar dagen geleden uit Rajputana aangekomen.'

Hij voerde Ram Lal zijn privé-heiligdom binnen en de beide mannen staarden zwijgend door het glas van het nieuwe huis van de slang.

Echis carinatus, stond er in het leerboek, maar dat boek was natuurlijk door een westerling geschreven, die de Latijnse nomenclatuur gebezigd had. In het Nederlands heette hij de zaagschubadder, de kleinste en dodelijkste van zijn hele gevaarlijke geslacht.

Wijd verspreid, stond in het leerboek, kwam voor van West-Afrika af naar het oosten en naar het noorden tot aan Iran en verder tot in India en Pakistan. Groot aanpassingsvermogen, in staat zich aan bijna ieder klimaat aan te passen, van de vochtige rimboe van West-Afrika tot in de koude bergen van Iran in de winter en de blakerende bergen van India.

Er bewoog in de kist iets onder de bladeren.

De afmeting bedraagt, zei het leerboek, tussen de twintig en dertig centimeter; lang en heel dun, olijfbruin van kleur met een paar lichtere vlekken die soms nauwelijks te zien zijn, met een licht golvende donkerder streep langs de zijkant van het lichaam. In droog, warm weer een nachtdier, dat gedurende de hitte van de dag beschutting zoekt.

De bladeren van de kist ritselden weer en er kwam een klein kopje te voorschijn.

Buitengewoon gevaarlijk te hanteren, vermeldde het leerboek, heeft meer doden op zijn geweten dan de nog beroemdere cobra, voornamelijk door het formaat, waardoor je hem zo gemakkelijk met de hand of voet ongewild kunt aanraken. De auteur van het boek had er een voetnoot aan toegevoegd met de vermelding, dat de kleine maar dodelijke slang, die door Kipling in zijn fantastische verhaal 'Rikki-Tikky-Tavy' werd genoemd, vrijwel zeker niet de 'krait' was, die circa zestig centimeter lang is, maar zeer waarschijnlijk de zaagschubgifadder was. De auteur schiep er kennelijk behagen in de grote Kipling op een onnauwkeurigheid te hebben betrapt.

In de kist flikkerde een zwart gevorkt tongetje tegen de twee Indiërs achter het glas.

Zeer waakzaam en prikkelbaar, zo had de reeds lang verscheiden Engelse bioloog zijn hoofdstukje over de *Echis carinatus* afgesloten. Valt snel uit zonder waarschuwing. De giftandjes zijn zo klein, dat ze een vrijwel onmerkbaar gaatje maken, als twee dorentjes. Men voelt geen pijn, maar de dood treedt vrijwel onvermijdelijk in, gewoonlijk na een tijdsverloop van twee tot vier uur, afhankelijk van het lichaamsgewicht en het peil van zijn lichamelijke inspanning tijdens en na de beet. De doodsoorzaak is altijd een hersenbloeding.

'Hoeveel wilt u ervoor hebben?' fluisterde Ram Lal.

De oude Gujerati spreidde hulpeloos zijn handen uit. 'Zo'n prachtexemplaar,' zei hij spijtig, 'en zo moeilijk te krijgen. Vijfhonderd ropijen.'

Ram Lal sloot de koop af op 350 ropijen en nam de slang in een potje mee.

Voor zijn reis terug naar Londen kocht Ram Lal een kistje sigaren, dat hij van de inhoud ontdeed, en boorde in het deksel twintig gaatjes voor lucht. Het slangetje zou een week lang geen eten en een dag of twee, drie geen water nodig hebben, wist hij. Het kon met een minimale hoeveelheid lucht toe om te ademen en hij wikkelde het sigarenkistje, met de slang tussen zijn bladeren erin, opnieuw stevig dichtgemaakt in een aantal handdoeken, waarvan de dikke sponzigheid zelfs in een koffer nog voldoende lucht zou bevatten.

Hij was aangekomen met een reistas, maar hij kocht een goedkoop fiber koffertje en pakte het vol met kleren uit marktstalletjes; het sigarenkistje ging in het midden. Slechts enkele minuten voor hij uit zijn hotel vertrok, op weg naar het vliegveld van Bombay, deed hij het koffertje dicht en op slot. Voor de vlucht terug naar Londen gaf hij de koffer af voor het ruim van de Boeing. Zijn handbagage werd doorzocht, maar er zat niets van belang in.

Het straalvliegtuig van Air India landde vrijdagochtend op Londen Heathrow en Ram Lal ging achter een lange rij Indiërs staan, die Engeland trachtten binnen te komen. Hij kon aantonen dat hij medisch student en geen immigrant was en werd vlug doorgelaten. Hij was zelfs al bij de lopende band voor de bagage, toen de eerste koffers erop tuimelden en zag die van hem bij de eerste vijfentwintig. Hij liep ermee naar het toilet, waar hij het sigarenkistje eruit haalde en in zijn reistas stopte.

Op weg via de uitgang Niets-Aan-Te-Geven werd hij toch tegengehouden, maar nu werd zijn koffer ondersteboven gehaald. De douaneman wierp een blik in zijn schoudertas en liet hem passeren. Ram Lal reed met de gratis bus Heathrow over naar Gebouw Nummer Een en nam de middagluchtbus naar Belfast. Hij was met theetijd in Bangor en eindelijk kon hij zijn geïmporteerde waar inspecteren.

Hij nam een glasplaat van het nachtkastje en schoof hem voorzichtig tussen het deksel van het sigarenkistje met zijn dodelijke inhoud, alvorens het helemaal open te doen. Door het glas zag hij het gifslangetje almaar in het rond kronkelen. Het hield even op en staarde met boze zwarte oogjes terug. Hij sloeg het deksel dicht en trok snel het glasplaatje terug toen het deksel naar beneden kwam.

'Ga maar slapen, vriendje,' zei hij, 'als je soort tenminste slaapt. Morgenochtend ga je Shakti's bevel opvolgen.'

Voor het donker werd ging hij nog een potje poederkoffie met schroefdeksel kopen en goot de inhoud in een porseleinen bakje in zijn kamer. De volgende ochtend bracht hij, met zijn dikke handschoenen aan, de slang van het kistje over naar het potje. De woedende slang beet eenmaal in zijn handschoen, maar dat kon hem niet schelen. 's Middags zou hij zijn vergif weer hebben aangevuld. Hij bleef nog even naar de slang kijken, die benauwd in het glazen koffiepotje opgerold lag, alvorens het deksel nog eens stevig vast te draaien en het in zijn broodtrommeltje te zetten. Toen ging hij de deur uit om de vrachtwagen naar zijn werk te pakken.

Big Billie had de gewoonte om zodra hij op het werkterrein kwam zijn jasje uit te trekken en het op een dichtstbijzijnde spijker of een tak te hangen. Zoals Ram Lal had opgemerkt, had de grote zware voorman tijdens de lunchpauze de vaste gewoonte om na het eten naar zijn jasje te gaan en zijn pijp en tabakszak uit de rechterzak te halen. Het was steeds dezelfde routinehandeling. Na met voldoening zijn pijpje te hebben gerookt, klopte hij het half verbrande propje tabak uit, stond op en zei: 'Vooruit jongens, aan het werk maar weer,' terwijl hij zijn pijp weer in zijn jaszak liet glijden. Als hij zich om had gedraaid moest iedereen opgestaan zijn.

Het plannetje van Ram Lal was eenvoudig maar onfeilbaar. In de loop van de ochtend zou hij de slang in de rechterzak van het opgehangen jasje laten glijden. Als hij zijn brood op had, zou de bullebak van een Cameron van het vuur opstaan, naar zijn jasje toegaan en zijn hand in de zak steken. De slang zou doen waar de grote Shakti hem de halve wereld voor over had laten komen om te doen. Hij, de slang, en niet Ram Lal zou het vonnis van de man uit Ulster voltrekken.

Cameron zou de hand met de slang die aan zijn vingers hing, zijn giftanden diep in het vlees gestoken, met een vloek uit zijn jasje terugtrekken. Ram Lal zou dan opspringen, de slang weg-rukken, hem op de grond gooien en op de kop trappen. Intussen zou de slang, nadat zijn gif verbruikt was, ongevaarlijk zijn gewor-den. Tenslotte zou hij, Ram Lal, de dode slang ver de rivier de Comber inslingeren, die ieder spoor van bewijs naar de zee zou voeren. Er zou misschien enige verdenking gekoesterd worden, maar dat was dan ook alles dat er ooit zou zijn.

Even na elven, onder het voorwendsel dat hij een nieuwe voor-hamer ging halen, deed Harkishan Ram Lal zijn broodtrommeltje open, haalde er het koffieflesje uit, schroefde het deksel open en schudde de inhoud in de rechterzak van het opgehangen jasje. Binnen zestig seconden was hij weer op zijn werk; niemand had zijn daad opgemerkt.

Onder de lunchpauze kon hij met moeite zijn brood naar binnen krijgen. De mannen zaten als altijd in een kring om het vuur; de droge, oude balken knetterden en spetterden en het kampketeltje hing erboven te pruttelen. De mannen maakten grappen en gek-heid, net als anders, terwijl Big Billie zich door de stapel dikke boterhammen kauwde, die zijn vrouw voor hem had klaargemaakt. Ram Lal had ervoor gezorgd in de kring een plaats dicht bij het jasje te kiezen. Hij dwong zich te eten. Zijn hart bonsde in zijn borst en de spanning in hem steeg gestadig.

Eindelijk maakte Big Billie een prop van het papier van zijn opgegeten boterhammen, gooide hem in het vuur en boerde. Hij stond grommend op en liep naar zijn jasje. Ram Lal draaide zijn hoofd om, om hem na te kijken. De andere mannen schonken er geen aandacht aan. Billie Cameron kwam bij zijn jasje en stak zijn hand in de rechterzak. Ram Lal hield zijn adem in. Cameron tastte een paar tellen met zijn hand en haalde toen zijn pijp en tabakszak eruit. Hij begon de kop met verse tabak te stoppen en betrapte onderwijl Ram Lal, dat hij hem zat aan te staren.

'Heb ik wat van je aan?' vroeg hij strijdlustig.

'Niets,' zei Ram Lal en wendde zich naar het vuur. Maar hij kon niet stil blijven zitten. Hij stond op en rekte zich uit, waarbij hij zich een halve slag wist om te draaien. Hij zag uit zijn ooghoek, dat Cameron de tabakszak in de jaszak stak en zijn hand met een doosje lucifers erin terugtrok. De voorman stak zijn pijp op en lurkte er tevreden aan. Hij slenterde weer naar het vuur toe.

Ram Lal ging weer op zijn plaats zitten en staarde ongelovig naar de vlammen. Waarom, zo vroeg hij zich af, waarom had de grote Shakti hem dit aangedaan? De slang was haar werktuig geweest, het instrument op haar bevel meegebracht. Maar ze had het achtergehouden en geweigerd haar eigen werktuig van vergelding te gebruiken. Hij draaide zich om en wierp een steelse blik op het jasje. Diep onder in de voering, helemaal bij de zoom, aan de uiterste linkerzijde, bewoog even iets en was stil. Ram Lal sloot verschrikt zijn ogen. Een gaatje, een klein gaatje in de voering had al zijn plannen verijdeld. Hij werkte die hele verdere middag in een waas van besluiteloosheid en ongerustheid.

Op de terugrit met de vrachtwagen naar Bangor, zat Big Billie Cameron als gewoonlijk voorin achter het stuur, maar had met het oog op de warmte zijn jasje opgevouwen en op zijn knieën gelegd. Voor het station zag Ram Lal hem het nog steeds opgevouwen jasje op de achterbank van zijn auto gooien en wegrijden. Ram Lal liep naar Tommy Burns op de plek waar de kleine man op de bus stond te wachten.

'Hoor eens,' vroeg hij, 'is meneer Cameron getrouwd?'

'Jazeker,' zei de kleine arbeider argeloos, 'hij heeft een vrouw en twee kinderen.'

'Woont hij hier ver vandaan?' zei Ram Lal. 'Omdat hij in een auto rijdt, bedoel ik.'

'Niet zo ver,' zei Burns, 'in de Kilcooley-buurt. In Ganaway

Gardens, geloof ik. Ga je hem opzoeken?'

'Nee, hoor,' zei Ram Lal. 'Tot maandag.'

Terug in zijn kamer staarde Ram Lal naar het onaandoenlijke gezicht van de godin van gerechtigheid.

'Het is niet mijn bedoeling geweest dood aan zijn vrouw en kinderen te brengen,' zei hij tegen haar. 'Ze hebben mij niets gedaan.'

De godin van ver weg staarde terug en gaf geen antwoord.

Harkishan Ram Lal werd het hele weekeind door een folterende angst gekweld. Die avond liep hij naar de Kilcooley buurt aan de rondweg en vond Ganaway Gardens, dat vlak bij Owenroe Gardens tegenover Woburn Walk lag. Op de hoek van Woburn Walk stond een telefooncel en hier wachtte hij een uur, terwijl hij net deed alsof hij een gesprek voerde, zodat hij de korte straat aan de overkant van de weg in het oog kon houden. Hij meende Billie Cameron voor een van de ramen te zien en onthield het huis.

Hij zag er een tienermeisje uitkomen en weglopen, om naar een paar vriendinnetjes toe te gaan. Heel even was hij in de verleiding naar haar toe te gaan en te vertellen wat er voor een duivels schepsel in haar vaders jasje sliep, maar hij durfde niet.

Vlak voor de schemering inviel kwam er een vrouw uit het huis die een boodschappenmandje droeg. Hij volgde haar naar het Clandeboye winkelcentrum, dat laat open was voor mensen die 's zaterdags hun loonzakje kregen. De vrouw, die hij voor mevrouw Cameron aanzag, ging Stewarts supermarkt binnen en de Indische student liep om de schappen heen achter haar aan, terwijl hij moed probeerde te vatten om haar aan te spreken en het gevaar in haar huis te onthullen. Opnieuw zonk de moed hem in de schoenen. Hij kon tenslotte wel de verkeerde vrouw voor zich hebben of zich zelfs in het huis hebben vergist. In dat geval zouden ze hem als een krankzinnige afvoeren.

Hij kon die nacht de slaap niet vatten, zo werd zijn geest geplaagd door visioenen van de zaagschubadder, die uit zijn schuilplaats in de voering van het jasje kwam, om stilletjes en dodelijk om het slapende arbeidershuisje te sluipen.

's Zondags waarde hij opnieuw in de Kilcooley buurt rond en localiseerde vastberaden het huis van de familie Cameron. Hij zag Big Billie duidelijk in de achtertuin staan. In de loop van de middag trok hij in de buurt de aandacht en wist hij, dat hij of brutaal naar de voordeur moest lopen om te bekennen wat hij gedaan had, of vertrekken en alles in de handen van de godin overlaten. De gedachte om de verschrikkelijke Cameron onder ogen te komen met het bericht welk een dodelijk gevaar er zo dicht bij zijn kinderen was gebracht, was te veel voor hem. Hij wandelde naar de Railway View Straat terug.

Op maandagmorgen stond de familie Cameron om kwart voor zes op. Het was een heldere zonnige ochtend in augustus. Tegen zessen zaten ze met zijn vieren in het keukentje aan de achterkant van het huis aan het ontbijt; de zoon, de dochter en de vrouw in hun ochtendjas, Big Billie in zijn werkkleding. Zijn jasje hing op de plaats waar het dat weekeinde had gehangen, in een kast in de gang.

Even over zessen stond zijn dochter Jenny op, een stukje met jam besmeerde toast in haar mond stoppend.

'Ik ga me wassen,' zei ze.

'Haal voor je weggaat mijn jasje even van de kapstok, meid,' zei haar vader, die bezig was een bord cornflakes te verorberen. Het meisje verscheen enkele ogenblikken later weer met het jasje, dat ze bij de kraag omhoog hield. Ze bood het haar vader aan, die nauwelijks opkeek.

'Hang het maar achter de deur,' zei hij. Het meisje deed wat haar was opgedragen, maar er zat geen lus aan het jasje en de haak was geen roestige spijker maar een glad geval van chroom. Het jasje bleef heel even hangen en viel toen op de keukenvloer. Haar vader keek op toen ze de deur uitging.

'Jenny,' schreeuwde hij, 'raap dat ding verdomme op.'

Niemand in huize Cameron sprak het hoofd van het gezin tegen. Jenny kwam terug, raapte het jasje op en hing het wat steviger op. Toen ze daarmee bezig was, gleed er iets duns en donkers uit de plooien en schuifelde met een droog ritselend geluid over het linoleum naar de hoek. Ze staarde er vol afschuw naar.

'Pap, wat zit daar in uw zak?'

Big Billie Cameron hield, met een lepel cornflakes halverwege zijn mond, even op met eten. Mevrouw Cameron draaide zich bij het fornuis om. De veertienjarige Bobby, bezig een toastje met boter te besmeren, zette grote ogen op. Het kleine schepsel lag in de hoek bij de rij kastjes in een stijve bal opgerold, woedend met een snel flikkerend tongetje naar de wereld terug te kijken.

'Here bewaar me, het is een slang,' zei mevrouw Cameron.

'Doe toch niet zo stom, mens. Weet je dan niet, dat er geen slangen in Ierland zijn? Dat weet toch iedereen,' zei haar man. Hij legde de lepel neer. 'Wat is het, Bobby?'

Hoewel binnens- en buitenshuis een tiran, had Big Billie ondanks zichzelf toch respect voor de kennis van zijn jongste zoon, die goed was op school en allerlei vreemde dingen leerde. De jongen zat door zijn uilebril naar de slang te staren.

'Dat moet een hazelworm zijn, pap,' zei hij. 'Vorig jaar hadden ze er op school een paar voor de biologieles. Meegebracht voor ontleding. Van overzee.'

'Het ziet er niet uit als een worm,' zei zijn vader.

'Het is ook geen echte worm,' zei Bobby. 'Het is een hagedis zonder poten.'

'Waarom noemen ze het dan een worm?' vroeg zijn balsturige vader.

'Dat weet ik niet,' zei Bobby.

'Waarvoor ga je verdomme dan naar school?'

'Zou hij bijten?' vroeg mevrouw Cameron angstig.

'Helemaal niet,' zei Bobby. 'Hij doet geen kwaad.'

'Maak hem dood,' zei Cameron senior, 'en gooi hem in de vuilnisbak.'

Zijn zoon stond van de tafel op en trok een slof uit, die hij als een vliegenmepper in de ene hand hield. Hij liep met blote enkels naar de hoek toe, toen zijn vader een ingeving kreeg. Big Billie keek met een vrolijk lachje van zijn bord op.

'Wacht eens even, nog even wachten, Bobby,' zei hij. 'Ik heb een idee. Haal eens een potje, vrouw.'

'Wat voor een potje?' vroeg mevrouw Cameron.

'Weet ik veel wat voor een potje? Een jampotje met een deksel erop.'

Mevrouw Cameron zuchtte, liep in een boog om de slang heen en maakte een kastje open. Ze inspecteerde haar voorraad potten.

'Er staat een jampotje met gedroogde erwten erin,' zei ze.

'Die die erwten maar ergens anders in en geef mij dat potje,' commandeerde Cameron. Ze gaf hem het potje.

'Wat gaat u doen, pap?' vroeg Bobby.

'Bij ons op het werk is een zwartje, een heiden. Hij komt uit een land waar het wemelt van de slangen. Ik ben van plan een geintje met hem uit te halen. Een klein grapje. Geef me die ovenhandschoen eens aan, Jenny.'

'U hebt geen handschoen nodig,' zei Bobby. 'Hij kan u niet bijten.'

'Ik raak dat vieze ding niet aan,' zei Cameron.

'Hij is niet vies,' zei Bobby. 'Het zijn hele schone beesten.'

'Je bent een stomkop, jongen, met al die schoolwijsheid van je. Er staat toch in de Schrift: "Op uw buik zult gij kruipen en stof zult gij eten. . . ?" Jawel, en vast en zeker nog wel meer dan stof ook. Ik kom daar niet met mijn handen aan.'

Jenny reikte haar vader de ovenhandschoen aan. Met het open jampotje in zijn linkerhand, de rechterhand beschermd door de handschoen, stond Big Billie Cameron over de slang heengebogen. Langzaam ging zijn rechterhand naar beneden. Toen liet hij hem snel neerdalen; maar het slangetje was nog sneller. Zijn kleine giftandjes drongen ongevaarlijk in het vulsel van de handschoen in het midden van de handpalm. Cameron merkte het niet, want die daad onttrok zich door zijn eigen handen aan het gezicht. In een wip zat de slang in het jampotje en was de deksel erop gedraaid. Door het glas zagen ze hem woest kronkelen.

'Ik gruw van ze, of ze nu gevaarlijk zijn of niet,' zei mevrouw Cameron. 'Ik zal blij zijn als je ermee het huis uitgaat.'

'Dat ga ik nu meteen doen,' zei haar man, 'want ik ben toch al te laat.'

Hij liet het jampotje in zijn schoudertas glijden, waar zijn broodtrommeltje al in zat, stopte zijn pijp en tabakszak in de rechterzak van zijn jasje en nam alles mee naar de auto. Hij kwam vijf minuten te laat op het stationsplein aan en verbaasde zich over de Indische student die hem strak stond aan te staren.

'Hij zal toch zeker niet helderziend zijn,' dacht Big Billie, toen ze in zuidelijke richting naar Newtownards en Comber reden.

In de loop van de ochtend was de hele groep in de geheime grap van Big Billie ingewijd, op straffe van een aframmeling als ze iets tegen 'het zwartje' loslieten. Daar was geen kans op; ervan overtuigd dat de hazelworm volkomen onschuldig was, vonden zij het ook een goede grap. Alleen Ram Lal werkte volkomen onwetend door, geheel verdiept in zijn eigen privé-gedachten en zorgen.

Tijdens de lunchpauze had hij iets moeten vermoeden. De spanning was te snijden. De mannen zaten als gewoonlijk in een kring om het vuur, maar het gesprek was gedwongen en als hij niet zo in beslag genomen was geweest, zou hij het onderdrukte gegrinnik en de blikken die in zijn richting schoten hebben opgemerkt. Hij had niets in de gaten. Hij zette zijn broodtrommeltje tussen zijn knieën en maakte het open. Opgerold tussen de boterhammen en de appel, de kop achterover om toe te slaan, lag de adder.

De gil van de Indiër galmde door de open plek heen, vlak voor de uitbarsting van het lachen van de arbeiders. Tegelijk met het gegil vloog het broodtrommeltje hoog de lucht in toen hij het uit alle macht van zich afwierp. De hele inhoud van het trommeltje vloog alle kanten uit en belandde in het hoge gras, de brem en de doornstruiken overal om hen heen.

Ram Lal was schreeuwend opgesprongen. De leden van de groep rolden hulpeloos over de grond van het lachen, Big Billie het hardst van allemaal. Hij had in maanden niet zo'n plezier gehad.

'Het is een slang,' gilde Ram Lal, 'een gifslang. Maak dat jullie wegkomen, allemaal. Hij is dodelijk.'

De mannen waren niet meer te houden van het lachen. De reactie van het slachtoffer van hun grap overtrof al hun verwachtingen.

'Geloven jullie me nou toch. Het is een slang, een giftige slang.'

Big Billie's gezicht was helemaal betraand van het lachen. Op de open plek tegenover Ram Lal gezeten, die panisch in het rond stond te kijken, wiste hij zijn ogen af.

'Wat ben je toch een dom zwartje,' snikte hij. 'Weet je dan niet dat er geen slangen in Ierland zijn? Begrepen? Die zijn hier niet.'

Hij had pijn in zijn zij van het lachen en hij leunde achterover in het gras met zijn handen achter zich om op te steunen. Hij had de twee tandjes niet in de gaten die als dorentjes in de ader aan de binnenkant van de rechterpols drongen.

De grap was afgelopen en de hongerige mannen vielen op hun boterhammen aan. Harishan Ram Lal ging met tegenzin zitten, voortdurend om zich heenkijkend. Hij hield een kroes dampende thee gereed en at alleen met zijn linkerhand, uit de buurt van het lange gras blijvend. Na het eten gingen ze weer aan het werk. De oude distilleerderij was bijna afgebroken en de stapels puin en bruikbaar hout lagen stoffig onder de augustuszon.

Om half vier hield Billie even met zijn werk op, leunde op zijn pickhouweel en streek met zijn hand over zijn voorhoofd. Hij likte aan een bultje aan de binnenkant van zijn pols en ging toen weer aan het werk. Vijf minuten later richtte hij zich weer op.

'Ik voel me niet zo lekker,' zei hij tegen Patterson, die naast hem stond. Ik ga even in de schaduw liggen.'

Hij zat een poosje onder een boom en steunde toen met zijn hoofd in zijn handen. Om kwart over vier, nog steeds zijn barstende hoofd vasthoudend, gaf hij éen stuiptrekking en viel opzij. Het duurde enkele minuten voor Tommy Burns hem in de gaten kreeg. Hij ging naar hem toe en riep Patterson.

'Big Billie is ziek,' riep hij. 'Hij geeft geen antwoord.'

De ploeg onderbrak het werk en ging naar de boom toe, waar de voorman in de schaduw lag.

Zijn nietsziende ogen staarden naar het gras vijf centimeter van zijn gezicht af. Patterson boog zich over hem heen. Hij had lang genoeg in dit werk gezeten dat hij wel eens meer dode mensen had gezien.

'Ram,' zei hij, 'jij hebt voor dokter geleerd. Wat denk jij?'

Ram Lal hoefde geen onderzoek te doen, maar hij deed het toch. Toen hij zich oprichtte, zei hij niets, maar Patterson begreep het.

'Jullie blijven allemaal hier,' zei hij, de touwtjes in handen nemend. 'Ik zal een ambulance bellen en McQueen waarschuwen.' Hij liep het pad over op weg naar de hoofdweg.

De ambulance was er het eerst, een half uur later. Ze brachten hem naar het dichtstbijzijnde ziekenhuis in Newtownards, waar een afdeling voor eerste hulp bij ongelukken was en daar werd de voorman geregistreerd als dood bij aankomst. Een buitengewoon ongeruste McQueen arriveerde een half uur daarna.

Als gevolg van de onbekende doodsoorzaak moest er een lijkschouwing plaatsvinden, die verricht werd door een patholoog uit North Down in het gemeentelijke lijkenhuis van Newtownards, waar het lijk was overgebracht. Dat was op dinsdag. 's Avonds was het rapport van de patholoog onderweg naar het kantoor van de lijkschouwer voor North Down, in Belfast.

Er stond niets bijzonders in het rapport. De overledene was een man van eenenveertig jaar geweest, zwaar gebouwd en buitengewoon sterk. Op het lichaam waren verschillende sneetjes en schaafwondjes aangetroffen, voornamelijk op handen en polsen, geheel in overeenstemming met het werk van een sloper, die geen van alle op enigerlei wijze iets met de doodsoorzaak hadden te maken. Deze was zonder enige twijfel een ernstige hersenbloeding geweest, waarschijnlijk veroorzaakt door overmatige inspanning in omstandigheden van uitzonderlijk grote hitte.

In het bezit van dit rapport zou de lijkschouwer normaal gesproken geen gerechtelijke lijkschouwing houden, omdat hij een overlijdensakte door natuurlijke oorzaken aan de rechter in Bangor kon afgeven. Maar er was iets dat Harkishan Ram Lal niet wist.

Big Billie was een vooraanstaand lid van de Bangor-raad van het onwettige Ulster Vrijwilligersleger, de fanatieke protestantse para-militaire organisatie geweest. De computer in Lurgan, waarin alle overlijdensgevallen in de provincie Ulster, hoe onschuldig ook, worden geprogrammeerd, gaf dit aan en iemand in Lurgan nam de telefoon op om het Royal Ulster politiekorps in Castlereagh te bellen.

Daar belde iemand het kantoor van de lijkschouwer in Belfast op en er werd een officiële sectie gelast. In Ulster mocht de dood niet alleen een ongeluk zijn; het moest ook als een ongeluk gezien worden. Tenminste voor bepaalde mensen. De lijkschouwing vond woensdag in het raadhuis in Bangor plaats. Dat veroorzaakte een hoop moeilijkheden voor McQueen, want de fiscus was ook aanwezig, evenals twee zwijgende mannen van de uiterst fanatieke aanhangers van de raad van het Ulster Vrijwilligersleger. Ze zaten achteraan. Bijna alle arbeiders die met de overledene gewerkt hadden, zaten vooraan, een paar meter van mevrouw Cameron af.

Alleen Patterson werd opgeroepen om te getuigen. Hij deed verslag, op vragen van de lijkschouwer, van wat er die maandag was voorgevallen en omdat er geen meningsverschil was, werd geen van de andere arbeiders opgeroepen, ook Ram Lal niet. De lijkschouwer las hardop het rapport van de patholoog-anatoom voor en het was volkomen duidelijk. Toen hij ermee klaar was, gaf hij een samenvatting alvorens zijn oordeel te geven.

'Het rapport van de patholoog laat geen enkele twijfel bestaan. Wij hebben van de heer Patterson het relaas over de gebeurtenissen van die lunchpauze vernomen en van de misschien wat dwaze poets, die de overledene de Indiase student gebakken heeft. De heer Cameron was hier blijkbaar zo door geamuseerd, dat hij zich tot bijna op de rand van een beroerte heeft gelachen. De daarop volgende zware arbeid met pickhouweel en schop in de gloeiende zon heeft de rest gedaan en de breuk van een grote slagader in de hersenen of, zoals de patholoog het in het medisch rapport uitdrukt, een hersenbloeding veroorzaakt. Het hof betuigt zijn medeleven aan de weduwe en haar kinderen en stelt vast dat de heer William Cameron tengevolge van een ongeval is overleden.'

Buiten op het gazon dat zich voor het raadhuis van Bangor uitstrekte, sprak McQueen met zijn arbeiders.

'Ik zal het goed met jullie maken, jongens,' zei hij. 'Het werk gaat gewoon door, maar ik kan me niet meer veroorloven geen belasting en al die dingen meer af te trekken, met de adem van de fiscus in mijn nek. Morgen vindt de begrafenis plaats, dan kunnen jullie die dag vrijaf nemen. Zij die verder willen werken kunnen zich vrijdag melden.'

Harkishan Ram Lal woonde de begrafenis niet bij. Terwijl deze op het kerkhof van Bangor plaatsvond, nam hij een taxi terug naar Comber en verzocht de chauffeur op de weg te wachten, terwijl hij over het paadje liep. De chauffeur kwam uit Bangor en had van de dood van Cameron gehoord.

'Je gaat zeker op de plek zelf je eerbied betuigen?' vroeg hij.

'In zekere zin, ja,' zei Ram Lal.

'Is dat bij jullie volk de gewoonte?' vroeg de chauffeur.

'Dat zou je kunnen zeggen,' zei Ram Lal.

'Och, nu ja, ik zal niet zeggen dat het beter of slechter is dan onze gewoonte aan het graf,' zei de chauffeur en maakte aanstalten onder het wachten zijn krantje te gaan lezen.

Harkishan Ram Lal liep over het paadje naar de open plek en bleef staan op de plaats waar het kampvuur was geweest. Hij keek rond naar het hoge gras en de brem en de doornstruiken in de zandige bodem.

'*Visha serp,*' riep hij naar de verborgen slang. 'O giftige slang, kun je me horen? Je hebt gedaan, waarvoor ik je helemaal uit de bergen van Rajputana heb meegenomen om te voltrekken. Maar je had moeten sterven. Als alles gegaan was zoals ik gepland had, had ik je zelf moeten doden en je smerige kadaver in de rivier moeten gooien.

Luister je, dodelijk monster? Hoor mij dan aan. Je mag misschien nog iets langer leven, maar dan zul je sterven, zoals alles sterft. En je zult alleen sterven, zonder een vrouwtje om mee te paren, omdat er geen slangen in Ierland zijn.'

De zaagschubadder hoorde hem niet, of als hij dat wel deed, gaf hij er geen enkel teken van dat hij het had verstaan. Diep in zijn holletje in het warme zand onder hem was hij druk bezig, volkomen opgaande in dat wat de natuur van hem verlangde dat hij moest doen.

Aan de onderkant van de slangestaart bevinden zich twee over elkaar heenliggende plaatschubben die de aarsholte bedekken. De staart van de slang was opgericht en het lichaam schokte in een oeroud ritme. De schubben gingen uit elkaar en uit de aarsholte, bracht ze een voor een, elk tweeënhalve centimeter lang in zijn doorzichtige zakje, ieder bij de geboorte even dodelijk als zijn ouders, haar dozijn kindertjes ter wereld.

De Keizer

'En dan nog iets,' zei mevrouw Murgatroyd.

Naast haar in de taxi onderdrukte haar man een lichte zucht. Met mevrouw Murgatroyd was er altijd wel iets. Al verliep alles nog zo gesmeerd, Edna Murgatroyd ging door het leven met een doorlopend commentaar van klachten, een eindeloze klaagzang van ontevredenheid: kortom, ze zeurde altijd en eeuwig.

Op de bank naast de chauffeur zat Higgins, de jeugdige bedrijfsleider van het hoofdkantoor, die was uitgekozen om op kosten van de bank een week met vakantie te gaan, omdat hij de 'veelbelovendste nieuweling van het jaar' was, en zweeg. Hij zat op de afdeling buitenlandse valuta, een energiek jongmens, die ze nog maar twaalf uur tevoren op het vliegveld Heathrow hadden ontmoet en zijn aangeboren enthousiasme was voor het geweld van mevrouw Murgatroyd weggeëbd.

De Creoolse chauffeur, met een brede glimlach van welkom toen ze een paar minuten geleden zijn taxi voor de rit naar het hotel hadden uitgezocht, was eveneens door het humeur van zijn vrouwelijke passagier achterin beïnvloed geraakt en tot stilzwijgen vervallen. Hoewel zijn moedertaal Creools Frans was, verstond hij uitstekend Engels. Mauritius was tenslotte 150 jaar een Britse kolonie geweest.

Edna Murgatroyd ratelde maar door, een onuitputtelijke bron van afwisselend zelfbeklag en verontwaardiging. Murgatroyd keek uit het raampje en zag hoe ze het vliegveld Plaisance achter zich lieten en de weg naar Mahebourg voerde, de oude Franse hoofdstad van het eiland met de vervallen forten, waarmee zij het tegen de Britse vloot van 1810 hadden getracht te verdedigen.

Murgatroyd staarde uit het raampje, geboeid door wat hij zag. Hij had zich vast voorgenomen van deze ene vakantieweek op een tropisch eiland, het eerste echte avontuur van zijn leven, tot op de bodem te genieten. Voor zijn aankomst had hij twee dikke reisgidsen over Mauritius doorgenomen en een grootschalige kaart van het eiland van noord tot zuid bestudeerd.

Ze reden door een dorpje toen het suikerrietland begon. Op de treden van de hutjes langs de kant van de weg zag hij Indiërs, Chi-

nezen en negers, naast de *métis-Creolen*, die naast elkaar woon-
den. Hindoetempels en boeddhistische altaren stonden aan de kant
van de weg op enkele meters afstand van een rooms-katholieke
kapel. Uit zijn boeken had hij vernomen dat Mauritius een meng-
kroes van zes ethnische groepen en vier grote godsdiensten was,
maar hij had nog nooit iets dergelijks gezien, tenminste niet in
harmonie levend.

Er kwamen nog meer dorpjes voorbij, die niet rijk en verre van
netjes waren, maar de inwoners wuifden hen lachend toe. Murgatroyd wuifde terug. Vier magere kippen fladderden weg voor de
taxi, waarbij ze op enkele centimeters na de dood ontsnapten en
toen hij omkeek pikten ze weer midden op de weg in het zand; het
leek haast onmogelijk dat ze iets te eten konden vinden. De wagen
minderde vaart bij een hoek. Er kwam een Tamil-jongetje uit een
krot, ging aan het trottoir staan en tilde de onderkant van zijn
hemdje tot zijn middel omhoog. Eronder was hij naakt. Hij begon
op de weg te pissen toen de taxi voorbij reed. Zijn hemdje met de
ene hand vasthoudend, wuifde hij met de andere. Mevrouw Murgatroyd snoof.

'Walgelijk,' zei ze. Ze leunde naar voren en tikte de chauffeur
op de schouder.

'Waarom gaat hij niet naar het toilet?' vroeg ze.

De chauffeur wierp zijn hoofd achterover en lachte. Toen wendde hij zijn gezicht om, om haar antwoord te geven. De wagen nam
twee bochten met afstandsbediening.

'*Pas de toilette, madame,*' zei hij.

'Wat is dat?' vroeg ze.

'De weg schijnt het toilet te zijn,' verklaarde Higgins.

Ze trok haar neus op.

'Kijk daar eens,' zei Higgins. 'De zee.'

Terwijl ze een poosje langs een kaap reden, strekte de Indische
Oceaan zich aan hun rechterhand uit tot aan de horizon, doorzichtig azuurblauw in de ochtendzon. Bijna een kilometer uit de
kust was een witte streep van de branding, die het grote rif aangaf
dat Mauritius van het woestere water afsluit. Binnen het rif konden ze de lagune zien, rustig water van heel lichtgroen en zo helder dat de koraalrotsen gemakkelijk tot zes meter diep te zien waren. Toen dook de taxi weer in de suikerrietvelden terug.

Vijftig minuten later reden ze door het vissersdorpje *Trou d'Eau*

Douce. De chauffeur wees voor zich uit.

'*Hôtel,*' zei hij, '*dix minutes.*'

'Goddank,' zei mevrouw Murgatroyd kribbig. 'Ik had het in deze rammelkast ook niet veel langer meer uitgehouden.'

Ze draaiden de oprijlaan in tussen de keurig onderhouden met palmen afgezette gazons door. Higgins draaide zich met een grijns om.

'Een heel eind van Ponder's End,' zei hij.

Murgatroyd glimlachte terug. 'Dat is het zeker,' zei hij. Niet dat hij geen reden had om de forensenwijk Ponder's End in Londen waar hij filiaalchef was dankbaar te zijn. Een half jaar tevoren was er bij hen in de buurt een lichte industriefabriek geopend en in een helder ogenblik had hij met de directie en met de personeelsleden contact gezocht met het voorstel, dat zij het risico van salarisdiefstal konden beperken, door hun weeklonen evenals de directiesalarissen per chèque uit te betalen. Enigszins tot zijn verbazing hadden ze allemaal toegestemd en waren er in zijn bijkantoor een paar honderd nieuwe rekeningen geopend. Deze gelukkige zet was onder de aandacht van het hoofdkantoor gekomen en daar had iemand het idee geopperd van een aansporingsprogramma voor provinciale en jeugdige werknemers. In het eerste jaar van het programma was hij de winnaar en de prijs was een volledig door de bank betaalde reis naar Mauritius geweest.

De taxi stopte uiteindelijk voor de grote toegangspoort van het Hôtel St. Geran en twee kruiers schoten toe om de bagage uit de kofferruimte en van het imperiaal te halen. Mevrouw Murgatroyd stapte onmiddellijk achter uit de taxi. Hoewel ze zich slechts tweemaal ten oosten van de Theemsmonding had gewaagd – ze ging meestal bij haar zuster in Bognor op vakantie – begon ze meteen tegen de kruiers tekeer te gaan, alsof ze in een vorig leven het halve Raj tot haar beschikking had gehad.

Gevolgd door de kruiers met de bagage liepen zij gedrieën achter elkaar door de toegangspoort de luchtige koelte van de gewelfde ruime hal binnen, mevrouw Murgatroyd voorop in haar bloemetjesjurk, die door de vliegreis en de taxirit erg gekreukeld was, Higgins in zijn nette crèmekleurige katoenen tropenkostuum en Murgatroyd in zijn stemmige grijze pak. Links was de receptie die bemand werd door een Indiase bediende die hen met een glimlach stond op te wachten.

Higgins nam de leiding. 'De heer en mevrouw Murgatroyd,' zei hij, 'en mijn naam is Higgins.'

De bediende raadpleegde zijn lijst reserveringen. 'Ja, dat klopt,' zei hij.

Murgatroyd keek om zich heen. De grote ontvangstzaal was van ruwe steen gemaakt en zeer hoog. Boven zijn hoofd steunden houten balken het dak. De zaal strekte zich uit tot de zuilen aan de overkant en andere pilaren steunden de zijkanten, zodat er een verkoelend briesje doorheen zweefde. In de verte zag hij de gloed van tropisch zonlicht en hoorde hij het gekletter en geschreeuw van een druk bezet zwembad. Halverwege de zaal aan de linkerkant voerde een stenen trap omhoog naar wat de bovenverdieping met de slaapkamers moest zijn. Op de begane grond leidde een andere poort naar de lager gelegen suites.

Uit een kamer achter de balie kwam een blonde jonge Engelsman in een kraakhelder hemd en lichtgekleurde broek te voorschijn.

'Goedemorgen,' zei hij met een glimlach. 'Ik ben Paul Jones, de bedrijfsleider.'

'Higgins,' zei Higgins. 'Dit zijn meneer en mevrouw Murgatroyd.

'Van harte welkom,' zei Jones. 'Zo, laten we eens even naar de kamers gaan kijken.'

Uit de zaal kwam een lange, slungelige figuur op hen af slenteren. Zijn magere scheenbenen staken uit een korte kakibroek en er wapperde een gebloemd strandhemd om hem heen. Hij had geen schoenen aan, maar hij had een engelachtige glimlach en klemde een blikje bier in de ene grote hand. Hij bleef een paar meter van Murgatroyd af stilstaan en keek op hem neer.

'Hallo, net aangekomen?' zei hij in een hoorbaar Australisch accent.

Murgatroyd keek verschrikt op. 'Eh, ja,' zei hij.

'Hoe heet u?' vroeg de Australiër zonder plichtplegingen.

'Murgatroyd,' zei de bankdirecteur. 'Roger Murgatroyd.'

De Australiër knikte, terwijl hij de mededeling verwerkte. 'Waar komt u vandaan?' vroeg hij.

Murgatroyd begreep het verkeerd. Hij dacht dat de man zei: 'Waar bent u vandaan?'

'Van de Midland,' zei hij.

De Australiër zette het blikje aan zijn lippen en dronk het leeg. Hij boerde. 'Wie is hij?' vroeg hij.

'Dat is Higgins,' zei Murgatroyd. 'Van het hoofdkantoor.'

De Australiër glimlachte vrolijk. Hij knipperde een paar maal om zijn blik te richten. 'Dat vind ik leuk,' zei hij. 'Murgatroyd van de Midland en Higgins van het hoofdkantoor.'

Inmiddels had Paul Jones de Australiër in het oog gekregen en was van achter de balie vandaan gekomen. Hij nam de lange man bij de elleboog en voerde hem door de zaal terug. 'Nou, nou, meneer Foster, als u zo vriendelijk wilt zijn om weer naar de bar te gaan, zodat ik onze nieuwe gasten comfortabel kan onderbrengen. . .'

Foster liet zich met zachte maar stevige drang door de zaal terugsturen. Onder het vertrekken wuifde hij met vriendelijke hand naar de balie. 'Houen zo, Murgatroyd,' riep hij.

Paul Jones kwam bij hen terug.

'Die man,' zei mevrouw Murgatroyd met ijzige afkeuring, 'was dronken.'

'Hij is toch met vakantie, lieve,' zei Murgatroyd.

'Dat is geen excuus,' zei mevrouw Murgatroyd. 'Wie is dat?'

'Harry Foster,' zei Jones. 'Uit Perth.'

'Hij spreekt niet als een Schot,' zei mevrouw Murgatroyd.

'Perth in Australië,' zei Jones. 'Mag ik u naar uw kamers brengen?'

Murgatroyd keek opgetogen vanaf het balkon van de tweepersoonsslaapkamer op de eerste verdieping. Beneden hem liep een kort grasveld naar een strook glinsterend wit zand met palmbomen erboven die iedere keer als de wind ze bewoog wisselende schaduwen verspreidden. Een dozijn strodakjes boden meer bescherming. De warme lagune, melkwit waar hij het zand had beroerd, kabbelde aan de rand van het strand. Wat verder weg veranderde het in doorzichtig groen en nog verder weg leek het blauw. 500 meter voorbij de lagune kon hij het roomachtige rif onderscheiden.

Een jongeman, mahoniebruin onder een bos strohaar, was honderd meter verder aan het windsurfen. Op zijn plankje balancerend, ving hij een zuchtje wind, leunde achterover tegen het trekken van het zeil en scheerde met moeiteloos gemak over het wateroppervlak. Twee bruine kindertjes met zwart haar en zwarte ogen spatten elkaar nat, gillend in het ondiepe water. Een Europeaan van middelbare leeftijd met een rond buikje, bedekt met glinsterende zeedruppels, waadde met zwemvliezen aan uit het water, zijn snorkel achter zich aanslepend. 'Godallemachtig,' riep hij met een Zuidafrikaans accent tegen een vrouw in de schaduw, 'daar zit zo ontzettend veel vis, niet te geloven.'

Rechts van Murgatroyd waren mannen en vrouwen in wikkelrokken en lendedoeken op weg naar de bar bij het zwembad om vóór de lunch een ijsdrankje te nemen.

'Laten we gaan zwemmen,' zei Murgatroyd.

'We zouden er des te eerder zijn als je me even hielp met uitpakken,' zei zijn vrouw.

'Laat dat nu maar even. Wij hebben onze spullen pas na de lunch nodig.'

'Geen sprake van,' zei mevrouw Murgatroyd. 'Ik laat je niet naar de lunch gaan terwijl je eruitziet als een inboorling. Hier is je korte broek en overhemd.'

In twee dagen tijd was Murgatroyd aan het ritme van het vakantieleven in de tropen gewend geraakt voor zover hij daar de kans voor kreeg. Hij stond vroeg op zoals hij toch altijd al deed, maar in plaats van zoals anders door het vooruitzicht van beregende straten achter de gordijnen te worden begroet, ging hij op het balkon zitten om de zon uit de Indische Oceaan achter het rif te zien opkomen, die het donkere, stille water plotseling als versplinterd glas deed glinsteren. Om zeven uur ging hij zijn ochtendrondje zwemmen en liet Edna Murgatroyd achter, die met haar krulspelden in haar beddekussens geleund lag te klagen over de langzame bediening van het ontbijt, die in werkelijkheid bijzonder vlot was.

Hij bleef een uur in het warme water en zwom één keer bijna 200 meter ver weg, waarbij hij zichzelf verbaasde over zijn durf. Hij was niet zo'n erge goede zwemmer, maar het ging al een stuk beter. Gelukkig was zijn vrouw geen getuige van deze heldendaad, want ze was ervan overtuigd dat haaien en andere roofvissen de lagune onveilig maakten en niets kon haar doen geloven dat deze rovers niet over het rif heen konden komen en dat de lagune net zo veilig was als het zwembad.

Hij begon zijn ontbijt op het terras bij het zwembad te gebruiken en koos net als de andere vakantiegangers meloen, mango's en papaja's uit bij zijn cornflakes en liet de ham en eieren staan, al waren die wel verkrijgbaar. De meeste mannen droegen op dit uur zwembroekjes en strandhemden en de vrouwen dunne katoenen hemdjes of wikkelrokken over hun bikini's. Murgatroyd bleef bij zijn kakibroek tot op zijn knieën en uit Engeland meegenomen tennisshirts. Tegen tienen kwam zijn vrouw bij hen zitten onder 'hun' strodakje op het strand, om aan een serie eisen te beginnen die de hele dag duurde, van frisdranken tot insmeren met zonnebrandolie, hoewel ze zich vrijwel niet aan de zonnestralen blootstelde.

Een enkele keer liet ze zich in haar volle roze omvang in het zwembad van het hotel zakken, dat de bar op zijn beschaduwde eilandje omringde, met een lovertjesbadmuts om haar permanent te beschermen, om langzaam een paar meter te zwemmen voor ze er weer uitstapte.

Higgins, die alleen was, ging al spoedig met een groepje veel jongere Engelse mensen om en ze zagen weinig van hem. Hij zag zichzelf als een vlot uitgaanstype en schafte zich uit de hotelboetiek een breedgerande strohoed aan, zoals hij Hemingway wel eens op een foto had zien dragen. Hij liep ook de hele dag in zwembroek en hemd, en verscheen net als de anderen in een lichte pantalon en een safarihemd met borstzakken en epauletten aan het diner. Na het diner bezocht hij het casino of de disco. Murgatroyd vroeg zich af hoe het daar zou zijn.

Harry Foster had zijn gevoel voor humor helaas niet voor zich gehouden. Voor de Zuidafrikanen, Australiërs en Engelsen, die het grootste deel van de cliëntele vormden, werd Murgatroyd van de Midland een goede bekende, maar Higgins slaagde erin zich door assimilatie van het etiket hoofdkantoor te ontdoen. Zonder dat hij het zelf wist werd Murgatroyd heel erg populair. Als hij in zijn te lange korte broek en gymnastiekschoenen naar het ontbijtterras stapte, ontlokte hij menig glimlachje en opgewekte begroeting van 'Morgen Murgatroyd'.

Af en toe kwam hij de uitvinder van zijn titel tegen. Verschillende keren liep Harry Foster slingerend langs hem heen, vakantie houdend op zijn eigen privé-wolk en zijn rechterhand scheen alleen open te gaan om het ene blikje bier neer te zetten en een ander te omvatten. Iedere keer grijnsde de joviale Aussie hartelijk tegen hem, hief zijn vrije hand op bij wijze van groet en riep:

'Houen zo, Murgatroyd.'

De derde ochtend kwam Murgatroyd van zijn uurtje zwemmen na het ontbijt uit zee, ging met zijn rug tegen de middensteun onder het strodakje liggen en bekeek zichzelf. De zon steeg nu hoog in de hemel en werd zeer heet, al was het nog pas half tien. Hij keek langs zijn lichaam naar beneden, dat ondanks al zijn voorzorgen en de waarschuwingen van zijn vrouw een fraaie kreeftrode kleur begon te vertonen. Hij benijdde mensen die in de kortste keren een gezonde gebruinde teint konden krijgen. Hij wist dat het zaak was om het bruin als het er eenmaal op zat te onderhouden en tussen de vakanties in niet weer marmerblank te laten worden. Daar was in Bognor niet veel kans op, dacht hij. Hun laatste drie vakanties hadden verschillende hoeveelheden regen en grijze wolken opgeleverd.

Zijn benen staken uit zijn Schots geruite zwembroek, dun en behaard als langgerekte klapbessen. Daar boven was een ronde buik en de spieren van zijn borst hingen slap. Het jaren aan een bureau zitten had zijn zitvlak verbreed en zijn haar werd dun. Hij had zijn eigen tanden nog en hij droeg alleen een bril om te lezen; zijn lectuur bestond hoofdzakelijk uit firmaverslagen en bankafrekeningen.

Er kwam van over het water het gebrom van een motor en hij keek op om een kleine speedboot vaart te zien meerderen. Erachter hing een lijn en aan het eind daarvan dobberde een hoofd op en neer. Terwijl hij zat te kijken, trok het koord plotseling strak en onder opspattend schuim kwam uit de lagune de glanzend bruine skiër, een jonge gast uit het hotel. Hij gleed op maar één ski, met de ene voet voor de andere en er stoof een waaier van schuim achter hem op toen hij achter de boot vaart kreeg. De stuurman draaide aan het roer en de skiër beschreef een wijde boog en stoof vlak langs het strand voor de neus van Murgatroyd voorbij. Met vastgeklemde spieren, de dijen gespannen tegen de korte golfslag van het kielzog achter de boot, leek hij uit eikehout gesneden. Het gegil van zijn triomfantelijke lach galmde over de lagune toen hij weer wegschoot. Murgatroyd keek hem na en benijdde de jongeman.

Hij was, gaf hij toe, vijftig, klein en dik en had geen conditie, ondanks de zomermiddagen in de tennisclub. Zondag was nog maar over vier dagen en dan zou hij in het vliegtuig stappen om weg te vliegen en nooit meer terug te komen. Hij zou waarschijnlijk nog tien jaar in Ponder's End blijven wonen en dan met pensioen gaan, waarschijnlijk in Bognor.

Hij keek rond en zag links van hem een jong meisje langs het strand aan komen lopen. De beleefdheid had hem moeten verbieden naar haar te staren, maar hij kon er niets aan doen. Ze liep blootsvoets en heel recht met de gratie van de eilandmeisjes. Haar huid had zonder hulp van olie of lotions een diep gouden teint. Ze droeg een witte katoenen wikkelrok met helrood patroon, die onder de linkerarm was dichtgeknoopt. Hij viel tot even onder haar heupen. Murgatroyd nam aan dat ze er wel iets onder zou dragen. Door een kleine windvlaag waaide het katoenen hemdje tegen haar lichaam, zodat even de stevige jonge borsten en slanke leest uitkwamen. Toen stierf het briesje weg en viel de stof weer recht naar beneden.

Murgatroyd zag dat zij een lichte Creoolse was, met wijd uiteenstaande donkere ogen, hoge jukbeenderen en glanzend donker haar, dat in golven over haar rug viel. Toen ze ter hoogte van hem kwam, draaide ze zich om en wierp iemand een brede, blijde glimlach toe. Murgatroyd was erdoor overrompeld. Hij wist niet, dat er iemand anders in zijn buurt was. Hij keek verwoed rond om te zien tegen wie het meisje had kunnen lachen. Er was verder niemand. Toen hij zich weer naar de zee toewendde, glimlachte het meisje opnieuw, met witte tanden glimmend in de ochtendzon. Hij wist zeker, dat ze niet aan elkaar waren voorgesteld. In dat geval moest het een spontane glimlach zijn. Tegen een vreemde. Murgatroyd nam zijn zonnebril af en glimlachte terug.

'Goedemorgen,' riep hij.

'Bonjour m'sieu,' zei het meisje en liep door. Murgatroyd keek naar haar verdwijnende rug. Haar donkere haar hing tot op haar heupen, die onder het witte katoen licht wiegden.

'Je kunt dat soort gedachten wel uit je hoofd zetten,' zei een stem achter hem. Mevrouw Murgatroyd was bij hem komen zitten. Zij keek ook het wandelende meisje na.

'Sletje,' zei ze en installeerde zich in de schaduw.

Tien minuten later bekeek hij haar, zoals ze tegenover hem zat, verdiept in weer een historisch romannetje van een populaire schrijfster, waarvan ze een hele voorraad had meegenomen. Hij keek weer terug naar de lagune en vroeg zich af, zoals hij dat al zo vaak had gedaan, hoe ze zo'n onverzadigbare honger naar romantische verzinsels kon hebben, terwijl ze met zo'n diepe weerzin de werkelijkheid afkeurde. Hun huwelijk was nooit gekenmerkt geweest door liefde en genegenheid. Ook niet in het begin, voordat ze tegen hem gezegd had, dat ze tegen 'dat soort dingen' was en dat hij niet hoefde te denken dat er ook maar enige noodzaak was ermee door te gaan. Vanaf die tijd, meer dan twintig jaar, had hij opgesloten gezeten in een liefdeloos huwelijk, waarvan de verstikkende sleur slechts af en toe werd opgefleurd door perioden van acute haat.

Hij had iemand in de kleedkamer van de tennisclub eens tegen een ander lid horen zeggen, dat hij haar al jaren geleden had moeten afranselen. Toentertijd was hij er kwaad om geweest en had op het punt gestaan van achter de kasten te voorschijn te komen om te protesteren. Maar hij had zich ingehouden en toegegeven dat die vent waarschijnlijk gelijk had. De moeilijkheid was, dat hij er niet de persoon naar was om mensen af te ranselen en hij betwijfelde of zij er de persoon naar was die erdoor verbeterde. Hij was altijd een zachtaardig mens geweest, zelfs reeds als kind en al kon hij wel een bank leiden, zijn mildheid was thuis gedegenereerd tot passiviteit en daarna tot lusteloosheid. De zware druk van zijn privé-gedachten kwam tot uiting in de vorm van een diepe zucht.

Edna Murgatroyd keek hem over haar bril heen aan. 'Als je ademnood hebt moet je maar een pilletje gaan halen,' zei ze.

Het was op vrijdagavond dat Higgins steels naar hem toekwam in de grote zaal, toen hij stond te wachten tot zijn vrouw uit het damestoilet kwam.

'Ik moet je spreken . . . alleen,' siste Higgins uit zijn mondhoek, geheimzinnig genoeg om kilometers in de omtrek de aandacht te trekken.

'Juist, ja,' zei Murgatroyd. 'Kun je het hier niet zeggen?'

'Nee,' gromde Higgins, een varen bestuderend. 'Je vrouw kan ieder ogenblik terugkomen. Volg mij.'

Hij slenterde met een opzettelijk onverschillig air weg, liep een paar meter de tuin in en ging achter een boom staan, waartegen hij leunde en wachtte. Murgatroyd slofte achter hem aan.

'Wat is er?' vroeg hij, toen hij Higgins in de donkere bosjes had ingehaald. Higgins keek even om door de bogen naar de verlichte zaal om zich ervan te vergewissen dat de vrouwelijke wederhelft van Murgatroyd hem niet achterna kwam.

'Sportvissen,' zei hij. 'Heb je dat wel eens gedaan?'

'Nee, natuurlijk niet,' zei Murgatroyd.

'Ik ook niet. Maar ik zou het wel willen. Eén keertje maar, om het te proberen. Moet je horen, er waren drie zakenlieden uit Johannesburg, die voor morgenochtend een boot hadden besproken. Nu blijkt, dat ze er geen gebruik van kunnen maken. Die boot is nu dus beschikbaar en de helft van de kosten is al betaald, omdat zij hun waarborgsom verbeurd hebben. Wat zeg je ervan? Zullen wij hem nemen?'

Murgatroyd verbaasde zich dat hij werd gevraagd. 'Waarom ga je niet met een paar vriendjes uit dat groepje waar je in zit?' vroeg hij.

Higgins haalde zijn schouders op. 'Ze willen allemaal de laatste dag met hun meisje doorbrengen en die meisjes willen niet mee. Vooruit Murgatroyd, laten we het maar proberen.'

'Hoeveel kost het?' vroeg Murgatroyd.

'Normaal honderd dollar per persoon,' zei Higgins. 'Maar nu de helft betaald is, kost het maar vijftig dollar per persoon.'

'Voor een paar uur? Dat is vijfentwintig pond.'

'Zesentwintig pond vijfenzeventig pence,' zei Higgins automatisch. Hij zat niet voor niets in vreemde valuta.

Murgatroyd maakte een rekensommetje. Met het geld voor de taxi terug naar het vliegveld en diverse extra onkosten om thuis in Ponder's End te komen hield hij weinig meer dan dat bedrag over. De rest zou door mevrouw Murgatroyd worden uitgegeven aan belastingvrije inkopen en cadeautjes voor haar zuster in Bognor. Hij schudde zijn hoofd.

'Dat zou Edna nooit goed vinden,' zei hij.

'Dan zeg je het niet tegen haar.'

'Niet tegen haar zeggen?' Hij was ontzet bij het idee.

'Precies,' drong Higgins aan. Hij boog zich naar hem toe en Murgatroyd ving het vleugje planters punch op. 'Gewoon doen. Achteraf zal ze je wel op je kop geven, maar dat doet ze in ieder geval. Denk je eens in. We komen hier waarschijnlijk niet meer terug. We zien waarschijnlijk nooit meer de Indische Oceaan. Dus waarom niet?'

'Tja, ik weet het niet . . .'

'Alleen één ochtend daar buiten in een klein bootje op de open zee, man. Met de wind door je haar en de hengels uit voor bonito, tonijn of makreel. Misschien vangen we er wel een. Het zou in ieder geval een mooi avontuur zijn om in Londen aan terug te denken.'

Murgatroyd vatte moed. Hij dacht aan de jongeman op de ski, die over de lagune beukte.

'Goed, ik doe het,' zei hij. 'Ik ben je man. Hoe laat vertrekken we?'

Hij haalde zijn portefeuille te voorschijn, scheurde er drie reischèques van £10 uit, zodat er nog maar twee in het boekje bleven zitten, tekende op de onderste regel en gaf ze aan Higgins.

'We gaan heel vroeg weg,' fluisterde Higgins, de chèques aannemend. 'Om vier uur staan we op en vertrekken hier om half vijf met de auto. Zijn om vijf uur in de haven. Gaan om kwart voor zes de haven uit om tegen zeven uur op de visgronden te zijn. Dat is de beste tijd, tegen zonsopgang. De recreatieleider gaat als begeleider mee en hij kent het klappen van de zweep. Dan zie ik je dus om half vijf in de hal.'

Hij beende terug naar de grote zaal en liep in de richting van de bar. Murgatroyd volgde, verbijsterd over zijn eigen doldriestheid en trof zijn vrouw aan die knorrig stond te wachten. Hij vergezelde haar naar de eetzaal.

Murgatroyd deed die nacht praktisch geen oog dicht. Hij had wel een wekkertje, maar durfde het niet te zetten uit angst dat zijn vrouw wakker zou worden als het afliep. Hij kon zich ook niet permitteren om zich te verslapen, zodat Higgins om half vijf op de deur zou kloppen. Hij dommelde een paar keer in tot hij de verlichte wijzertjes vier uur zag naderen. Het was nog pikdonker achter de gordijnen.

Hij sloop stilletjes uit bed en wierp een blik naar mevrouw Murgatroyd. Ze lag zoals altijd op haar rug en haalde snurkend adem, met haar arsenaal krulspelden bij elkaar gehouden door een netje. Hij liet zijn pyjama op het bed glijden en trok zijn onderbroek aan. Hij pakte zijn gymschoenen, korte broek en hemd, liep zachtjes de deur uit en sloot die achter zich. In de donkere gang trok hij de rest van zijn kleren aan, huiverend in de onverwachte koude.

In de hal trof hij Higgins en hun gids aan, een lange, magere Zuidafrikaan, André Kilian, die de leiding van alle sportactiviteiten voor de gasten had. Kilian wierp een blik op zijn kleding.

'Het is koud op het water voor zonsopgang,' zei hij, 'en daarna is het snikheet. Die zon daar op zee kan u roosteren. Hebt u geen lange broek en een windjack met lange mouwen?'

'Daar heb ik niet aan gedacht,' zei Murgatroyd. 'Nee, eh, die heb ik niet.' Hij durfde nu niet meer naar zijn kamer te gaan.

'Deze kan ik wel missen,' zei Kilian en overhandigde hem een pullover. 'Zullen we gaan?'

Ze reden een kwartier door het donkere landschap, langs hutten waar een enkel glimpje aangaf dat er al iemand anders op was. Tenslotte reden ze van de hoofdweg af over een bochtig weggetje naar beneden naar het haventje van Trou d'Eau Douce of Zoetwaterkreek, dat door een of andere reeds lang overleden Franse kapitein zo was genoemd, omdat hij op die plek een drinkbare bron zou hebben gevonden. De huizen van het dorpje waren donker, met planken ervoor, maar aan de havenzijde kon Murgatroyd de omtrek van een aangemeerde boot onderscheiden en de vorm van andere gedaanten die bij het licht van toortsen aan boord werkten. Ze stopten bij een houten steiger en Kilian haalde een thermosfles hete koffie uit het handschoenenkastje en gaf hem rond. Het was een welkome versterking.

De Zuidafrikaan stapte uit de auto en liep over de steiger naar de boot. Flarden zachte in Creools Frans gevoerde gesprekken zweefden naar de auto. Het is vreemd, dat mensen in het donker voordat de zon opgaat altijd zachtjes praten.

Tien minuten later kwam hij terug. Er was nu een lichte streep aan de oostelijke horizon en er glansden vaag in de verte een paar lage, geribbelde wolkjes. Het water was herkenbaar aan zijn eigen glans en de omtrek van de steiger, de boot en de mannen werd helderder.

'We kunnen nu de spullen aan boord brengen,' zei Kilian.

Van achter uit de stationwagen tilde hij een gekoelde luchtdichte kist, die straks het koude bier zou verschaffen en droeg hem met Higgins over de steiger. Murgatroyd nam de lunchpakketten en nog twee koffiekannen mee.

De boot was niet zo'n nieuw, luxueus polyester geval, maar een oud, breed schip met houten romp en triplex dek. Het had een kleine kajuit, die volgestouwd leek met allerlei scheepsbenodigdheden. Aan stuurboordzijde van de kajuitdeur stond één beklede stoel op een hoge poot tegenover het roer met de eenvoudige bedieningshendels. Dit gedeelte was overdekt. Het achterdeel was open en aan weerskanten voorzien van harde banken. Op de achtersteven stond één draaistoel, zoals je wel in een kantoor in de stad ziet, alleen hingen hier tuigriemen aan en was hij met klampen aan het dek bevestigd.

Aan beide zijden van het achterdek staken twee lange stokken als een wespenantenne in een hoek uit. Murgatroyd dacht eerst dat het hengelroeden waren, maar hoorde later dat het uitleggers waren om de buitenlijnen vrij van de binnenboordlijnen te houden en te voorkomen dat ze in de war raakten.

Op de schippersstoel zat een oude man met de ene hand op het roer zwijgend naar de laatste voorbereidingen te kijken. Kilian zette het bierkistje onder een van de banken en beduidde de anderen te gaan zitten. Een scheepsjongetje, ternauwernood de tien gepasseerd, maakte het achtertouw los en wierp het op het dek. Een dorpeling op de steiger naast hem deed hetzelfde aan de voorzijde en duwde de boot van de kade af. De oude man startte de motor en onder hun voeten begon een dof gebrom. De boot draaide zijn neus langzaam naar de lagune.

De zon steeg nu snel; hij was nog net onder de horizon en zijn licht verspreidde zich naar het westen over het water. Murgatroyd kon duidelijk de huizen van het dorpje aan de kant van de lagune zien en de omhoog kringelende rookpluimen, waar de vrouwen de ochtendkoffie aan het zetten waren. Een paar minuten later waren de laatste sterren verbleekt, was de lucht blauw geworden als eieren van een roodborstje en stak er een zwaard van glinsterend licht door het water. Plotseling rimpelde een licht briesje, dat nergens vandaan kwam en nergens heenging, het oppervlak van de lagune en brak het licht in splinters van zilver. Toen was het verdwenen en de gladde waterspiegel kwam terug, slechts verbroken door het lange kielzog van de achtersteven van de boot naar de terugwijkende steiger. Murgatroyd keek over de zijkant en kon reeds koraalbrokken onderscheiden en ze waren vier vadem diep.

'Voor ik het vergeet,' zei Kilian, 'zal ik jullie even voorstellen.' Naarmate het lichter werd, werd zijn stem luider. 'Deze boot is de *Avant*, in het Frans betekent dat "Voorwaarts". Hij is wel oud maar zo degelijk als een rots en heeft in al die tijd al heel wat vis gevangen. De kapitein is monsieur Patient en dit is zijn kleinzoon Jean-Paul.

De oude man draaide zich om en knikte bij wijze van groet tegen zijn gasten. Hij zei niets. Hij was gekleed in een stevig blauwe linnen kiel en broek, waaruit twee knokige voeten naar beneden bungelden. Zijn gezicht was donker en verschrompeld als een oude walnoot en hij had een verfomfaaid gerafeld hoedje op zijn hoofd. Hij keek uit naar de zee met ogen omkranst door rimpels van een heel leven naar zonnig water turen.

'Monsieur Patient heeft als jongen en als man minstens zestig jaar op deze zee gevist,' zei Kilian. 'Hij weet zelf niet eens precies meer hoe lang en niemand anders kan het zich herinneren. Hij kent het water en hij kent de vis. Dat is het geheim van de vangst ervan.'

Higgins haalde een fototoestel uit zijn schoudertas. 'Ik wil een foto nemen,' zei hij.

'Ik zou nog even wachten,' zei Kilian. 'En houd je goed vast. Dadelijk gaan we door het rif heen.'

Murgatroyd keek voor zich uit naar het naderende rif. Vanaf zijn hotelbalkon leek het donzig zacht, met schuim als opspattende melk. Vlak erbij kon hij het gedonder van de oceaanbranding horen; van de golven die zich op de koraalrotsen stortten en doormidden reten op de rijen scherpe messen vlak onder het oppervlak. Hij kon geen onderbreking in de streep ontdekken.

Vlak voor het schuim begon draaide de oude Patient het roer hard naar rechts en de Avant manoeuvreerde zich evenwijdig aan de schuimende witte streep, op een afstand van twintig meter. Toen zag hij de vaargeul. Hij verscheen daar waar twee koraalbanken naast elkaar liepen met een smalle kloof ertussen. Vijf tellen later zaten ze in de vaargeul, met links en rechts de branding, waarvan de golven evenwijdig met de kust, een kilometer naar het oosten liepen. De *Avant* stampte en slingerde toen ze door de deining gegrepen werden.

Murgatroyd keek naar beneden. Aan weerskanten waren nu schuimkoppen, maar toen het schuim wegtrok kon hij aan zijn kant drie meter verder het koraal zien, dat eruitzag als zacht gevederte, maar zo scherp was als een scheermes. De boot hoefde er maar even overheen te schuren en hij werd met bemanning en al als een houtje gespleten. De schipper scheen er niet naar te kijken. Hij zat met één hand aan het roer, de andere aan de gashendel door de voorruit voor zich uit te staren, alsof hij tekens ontving van een of ander baken aan die lege horizon die hem alleen bekend was. Af en toe gaf hij een rukje aan het roer of vergrootte de gastoevoer en stuurde de *Avant* met vaste hand uit de buurt van een nieuw gevaar. Murgatroyd zag alleen de gevaren als ze ongehinderd aan zijn blik voorbij gleden.

Zestig seconden later die een eeuwigheid leken was het achter de rug. Aan de rechterkant zette het rif zich voort, maar links hield het op en waren ze door de vaargeul. De kapitein draaide weer snel aan het roer en de *Avant* wendde zijn neus naar de open zee. Op hetzelfde ogenblik kwamen ze in de zware deining van de Indische Oceaan terecht. Het drong tot Murgatroyd door, dat dit geen tochtje voor bangeriken was en hij hoopte, dat hij zich niet te schande zou maken.

'Zeg, Murgatroyd, heb je dat donderse koraal gezien?' zei Higgins.

Kilian grinnikte. 'Dat is niet niks, hè? Koffie?'

'Hierna kan ik wel een hartversterking gebruiken,' zei Higgins.

'Aan alles is gedacht,' zei Kilian. 'Er zit cognac in.' Hij schroefde de tweede thermoskan open.

De scheepsjongen begon meteen de hengels gereed te maken. Er waren er vier, die hij uit de kajuit haalde. Het waren sterke stokken van glasvezel van ongeveer tweeënhalve meter lang, waarvan de onderste halve meter met kurk was omkleed om de greep te verstevigen. Ze waren allemaal uitgerust met een grote reel of spoel, die 800 meter nylonlijn bevatte, en massief koperen uiteinden met een sleuf erin, die in gaten in de boot pasten zodat ze niet konden draaien. Hij zette de hengels in de gaten en bevestigde ze met een klem om te voorkomen dat ze overboord gingen.

De bovenste rand van de zon steeg boven de oceaan uit en wierp zijn stralen over de deinende zee. Enkele minuten later was het donkere water veranderd in een diep indigo-blauw, dat lichter en groener werd naarmate de zon rees.

Murgatroyd zette zich schrap tegen het stampen en slingeren van de boot, terwijl hij zijn koffie probeerde te drinken en keek geboeid naar de voorbereidselen van de scheepsjongen. Uit een grote gereedschapskist haalde hij allerlei stukjes staaldraad van verschillende lengte, wartels genaamd en een verzameling van allerlei verschillende lokazen. Sommige zagen eruit als helroze of groene inktvisjes van zacht rubber; er waren rode en witte haneveren en glinsterende lepeltjes of spinners, ontworpen om in het water te flikkeren en de aandacht van een roofvis op jacht te trekken. Er waren ook dikke, sigaarvormige loden gewichten, met een klemmetje in de snuit om aan de lijn vast te maken.

De jongen vroeg in het Creools iets aan zijn grootvader en de oude man bromde iets als antwoord. De jongen zocht twee inktvisjes, een veer en een lepeltje uit. Bij elk stak aan het ene eind een vijfentwintig centimeter lange wartel en aan het andere eind een enkele of driedubbele haak uit. De jongen maakte de klem aan het aas aan een langere wartel en het andere eind daarvan aan de lijn van de hengel vast. Aan elke hengel ging ook een loden gewicht om het aas net onder het oppervlak te houden als het door het water trok. Kilian lette op het soort aas dat gebruikt werd.

'Die spinner,' zei hij, 'is geschikt voor de af en toe ronddwalende barracuda, met de inktvisjes en de veren vang je bonito, dorado of zelfs een grote tonijn.'

Monsieur Patient veranderde plotseling van koers en ze rekten hun hals om te kijken waarom. De horizon voor hen uit was leeg. Een minuut later ontdekten ze wat de oude man reeds gezien had. Aan de kim in de verte dook en zwenkte een groep vogels boven de zee, op die afstand als kleine vlekjes.

'Sternen,' zei Kilian. 'Ze hebben een school kleine vissen ontdekt en duiken ernaar.'

'Zitten we te wachten op kleine vissen?' vroeg Higgins.

'Nee,' zei Kilian, 'maar de andere vissen wel. Die meeuwen zijn voor ons een teken dat daar een school zit. Maar de bonito jaagt op sprot en tonijn ook.'

De kapitein draaide zich om en knikte tegen de jongen, die de gereedgemaakte snoeren in het kielzog begon te werpen, waar ze woest op het schuim dobberden. Intussen maakte hij een palletje dat op de spoel bevestigd was los en deze begon zich te ontrollen. Het aas met het lood en wartel werden ver door het kielzog getrokken tot ze geheel verdwenen waren. De jongen liet de lijn uitlopen tot hij ervan overtuigd was, dat hij ruim honderd meter van de boot af was. Toen zette hij de spoel weer vast. De punt van de hengel boog iets door, nam de spanning over en begon het aas mee te slepen. Ergens ver weg in het groene water liep de aas met de haak in regelmatig tempo onder het water mee als een snelzwemmende vis.

49

Er zaten twee hengels in de achterrand van de boot vastgeklemd, een in de linker en een in de rechterhoek. De andere twee hengels waren aan beide kanten iets verder op het achterdek bevestigd. De snoeren ervan zaten in grote knijpers vastgeklemd en de knijpers waren aan snoeren vastgemaakt die langs de uithangers liepen. De jongen wierp de azen van deze hengels in de zee en liet toen de knijpers naar het topje van de uithangers glijden. Door de spreiding van de uithangers werden de buitenste lijnen vrij van de binnenlijnen en evenwijdig daarmee gehouden. Als een vis hapte, trok hij het snoer van de knijper af en ging de spanning rechtstreeks over van spoel naar hengel naar vis.

'Hebben jullie wel eens meer gevist?' vroeg Kilian. Murgatroyd en Higgins schudden hun hoofd. 'Dan zal ik jullie even laten zien wat er gebeurt als we beet krijgen. Daarna is er niet al te veel tijd voor. Kom hier even kijken.'

De Zuidafrikaan ging in de vechtstoel zitten en pakte één van de hengels. 'Kijk, als we beet hebben wordt de lijn plotseling van de spoel afgetrokken die door het draaien een hoog gillend geluid geeft. Daardoor weet je het. Als dat gebeurt, dan neemt degene die aan de beurt is in deze stoel plaats en Jean-Paul of ik geven de hengel aan. Is dat duidelijk?'

De Engelsen knikten.

'Nou, dan neem je de hengel en zet hem met de kolf hier in dit gat tussen je dijen. Dan zet je hem met de klem vast, dat met een koord aan de stoel is bevestigd. Als hij dan uit je handen wordt gerukt, zijn we tenminste geen dure hengel met alles erop en eraan kwijt. Kijk, zie je dit ding hier?'

Kilian wees op een koperen wieltje met spaken, dat opzij uit de reelhuls stak. Murgatroyd en Higgins knikten.

'Dat is de slipkoppeling,' zei Kilian. 'Hij is nu ingesteld op een hele lichte spanning, zeg vijf pond, zodat als de vis bijt de lijn uitloopt, de spoel gaat draaien en het klikkende geluid van een draaiende spoel gaat zo vlug dat het op een gil lijkt. Als je je hebt geïnstalleerd – en doe het wel vlug want hoe langer je erover doet voor je klaar bent, des te meer snoer je later moet inhalen – draai je de slip langzaam naar voren, kijk zo. Het gevolg daarvan is dat de spoel gaat remmen tot de lijn niet verder meer uitloopt. De vis wordt nu door de boot getrokken, in plaats van dat de vis je lijn uittrekt.

Vervolgens trek je hem binnen. Je pakt het kurk hier met de linkerhand vast en spoelt in. Als hij heel erg zwaar is, pak je hem met allebei de handen en trekt naar achteren tot de hengel verticaal is. Dan laat je de rechterhand naar de spoel zakken en spoelt naar binnen terwijl je de hengel naar de achterplecht laat dalen. Dat maakt het gemakkelijker om in te spoelen. Daarna doe je het opnieuw. Met beide handen vastpakken, naar achteren trekken, voorzichtig naar voren laten zakken en tegelijkertijd naar binnen spoelen. Tenslotte zie je de buit in het schuim onder de achterplecht naar boven komen. Dan zal de scheepsjongen hem gaffen en binnenboord halen.'

'Wat zijn dat voor tekens op de slipkopppeling en de koperen huls van de spoel?' vroeg Higgins.

'Die geven de maximum-toelaatbare spanning aan,' zei Kilian. 'Deze lijnen hebben een breeksterkte van honderddertig pond. Voor natte lijnen trek je er tien procent af. Voor alle veiligheid staan er merktekens op deze spoel zodat er, zodra de merktekens tegenover elkaar staan, de slipkoppeling alleen lijn uitgeeft als er honderd pond aan het uiteinde trekt. Maar om honderd pond heel erg lang te kunnen vasthouden, laat staan naar binnen spoelen, worden je armen bijna uit het lid getrokken, dus ik denk niet dat we ons daar zorgen over hoeven te maken.'

'Maar wat gebeurt er als we een grote aan de haak krijgen?' hield Higgins aan.

'Het enige wat er dan op zit is hem uit te putten,' zei Kilian. 'Dan begint het eigenlijke gevecht. Je moet hem de lijn geven, naar binnen spoelen, hem tegen de spanning in laten zwemmen, binnenspoelen enzovoort, tot hij zo uitgeput is dat hij niet langer meer kan trekken. Maar dat lossen we wel op als het zover is.'

Hij had het nog niet gezegd of de *Avant* voer reeds onder de zwenkende sternen, na die drie mijl in een half uur te hebben afgelegd. Monsieur Patient minderde vaart en ze begonnen door de onzichtbare school vissen onder hen te kruisen. De kleine vogels cirkelden rond met onvermoeibare gratie, zes meter boven de zee met de kop naar beneden en de vleugels gespannen, tot hun scherpe ogen een glinstering langs de op en neer gaande waterheuvels ontwaarden. Dan lieten ze zich met de vleugels naar achteren en de scherpe puntige snavel naar voren gestoken in het hart van de golf vallen. Een seconde later kwam dezelfde vogel met een spartelend zilveren lucifer in zijn bek te voorschijn, dat onmiddellijk in de smalle keel verdween. Zij speurden met niet aflatende energie rond.

'Zeg, Murgatroyd,' zei Higgins, 'zullen we even tossen om af te spreken wie het eerst een vis mag verschalken?'

Hij haalde een inheems geldstukje uit zijn zak. Zij tosten en Higgins won. Even later begon een van de binnenste hengels heftig te schokken en de lijn schoot naar buiten. De draaiende spoel liet een geluid horen dat van gejank overging in een hoog gillen.

'Voor mij,' riep Higgins opgetogen en sprong in de draaistoel. Jean-Paul gaf hem de hengel aan, die nog steeds afspoelde, maar nu langzamer en Higgins zette de kolf beneden in de steun vast. Hij maakte de klem met het koord vast en begon op de slipkoppeling te drukken. De afrollende lijn hield vrijwel onmiddellijk stil. De hengel boog aan het uiteinde. Hem met de linkerhand vasthoudend, spoelde Higgins met zijn rechter. De hengel boog nog wat verder door, maar hij bleef hem opwinden.

'Ik hoor hem aan de lijn bonken,' hijgde Higgins. Hij bleef hem opwinden. De lijn kwam zonder tegenstand naar binnen en Jean-Paul leunde over de achterplecht. Hij pakte de lijn met zijn hand en wierp een kleine, stijve zilverkleurige vis in de boot.

'Een bonito van een pond of vier,' zei Kilian.

De scheepsjongen pakte een tangetje en haalde het weerhaakje uit de mond van de bonito. Murgatroyd zag, dat er boven zijn zilveren buik een blauwzwarte streep liep als bij een makreel. Higgins zag er teleurgesteld uit. De zwerm sternen bleef achter en ze waren nu door de school sprot heengevaren. Het was even over achten en het visdek werd warm, maar dat was wel prettig. Monsieur Patient draaide de *Avant* in een langzame cirkel rond om terug te koersen naar de school vissen met hun 'uithangbord' van duikende sterns erboven, terwijl zijn kleinzoon de haak met het inktvisje als aas voor een nieuwe run in het water gooide.

'Misschien kunnen we hem voor het avondeten klaarmaken,' zei Higgins, maar Kilian schudde spijtig zijn hoofd.

'Bonitos dienen als aasvis,' zei hij. 'De bevolking eet ze wel in de soep, maar ze smaken niet zo erg lekker.'

Ze voeren opnieuw door de school vissen en voor de tweede maal hadden ze beet. Murgatroyd nam de hengel met een huivering van opwinding. Dit was voor het eerst van zijn leven dat hij dit gedaan had en voor het laatst dat hij het nog eens zou doen. Toen hij de kurk vastpakte kon hij het sidderen van de vis op zestig meter afstand onder aan de lijn voelen alsof hij vlak bij hem was. Hij draaide langzaam de koppeling naar voren en even later hield de aflopende lijn stil en zweeg. De top van de hengel boog naar de zee. Met zijn linkerarm gestrekt nam hij de spanning over en was verbaasd over de kracht die nodig was om naar achteren te trekken.

Hij spande zijn linkerarmspieren en begon systematisch met de rechterhand aan het spoelhendeltje te draaien. Hij draaide, maar hij had er zijn hele onderarm voor nodig. Hij verbaasde zich over de trekkracht aan het andere uiteinde. Dat was het spannende ervan, besefte hij. Dat je nooit precies wist wat voor een reus uit de diepzee daar beneden in het kielzog vocht. En als het niet veel bijzonders was, zoals dat visje van Higgins, nou, dan kon de volgende evengoed een monster zijn. Hij bleef langzaam verder draaien en voelde zijn borst opzwellen van inspanning. Toen de vis twintig meter van de boot af was, scheen hij het op te geven en liep de lijn als vanzelf. Hij dacht dat hij de vis kwijt was geraakt, maar hij was er nog. Hij gaf nog éen ruk toen hij onder de achtersteven kwam en toen was het afgelopen. Jean-Paul gafte hem en haalde hem met een zwaai naar binnen. Weer een bonito, groter, van een pond of tien.

'Fantastisch, hè?' zei Higgins opgewonden. Murgatroyd knikte glimlachend. Dit zou een mooi verhaal zijn om in Ponder's End te vertellen. De oude Patient aan het roer zette een nieuwe koers uit naar een stuk diep blauw water dat hij een paar mijl voor zich uit kon zien. Hij zag hoe zijn kleinzoon het haakje uit de mond van de bonito haalde en bromde iets tegen de jongen. De knaap knipte de wartel met het lokaas los en legde ze weer in de kist met visgerei. Hij stak de hengel in de steun, waar het stalen klemmetje aan het eind van de lijn los aanbungelde. Toen liep hij naar voren om het roer over te nemen. Zijn grootvader zei iets tegen hem en wees door de voorruit. De jongen knikte.

'Gebruiken we die hengel niet meer?' vroeg Higgins.

'Monsieur Patient heeft zeker een ander idee,' zei Kilian. 'Laat dat maar aan hem over. Hij weet wel wat hij doet.'

De oude man slingerde zonder moeite over het op en neergaande dek naar de plek waar zij stonden en ging zonder iets te zeggen met gekruiste benen in de spuigaten zitten, zocht de kleinste bonito uit en begon hem als aas te prepareren. Het dode visje lag hard als een plank met boven en onder de stijve halvemaans staartvinnen en half open mond, de zwarte oogjes starend naar niets.

Monsieur Patient haalde uit de kist met visbenodigdheden een grote enkele weerhaak, aan de schacht waarvan een stevig in elkaar gedraaid stuk staaldraad van vijftig centimeter met een dertig centimeter lange stalen punt eraan als een breinaald. Hij duwde de punt van de naald in de anale opening van de vis en duwde door tot de bebloede punt uit zijn mond naar buiten kwam. Aan het andere eind van de naald maakte hij de stalen wartel vast en met de tang trok hij naald en wartel door het hele lichaam van de bonito tot de wartel uit zijn bek hing.

De oude man stopte de schacht van de haak diep in de buik van de bonito, zodat alles verdwenen was op de ronding met de naaldscherpe punt van de weerhaak na. Deze stak met de naar voren wijzende punt recht vooruit onder de staart uit. Hij trok de rest van de wartel uit de bek van de vis tot hij gespannen stond.

Hij haalde een veel kleinere naald te voorschijn, niet groter dan een stopnaald die een huisvrouw voor de sokken van haar man zou gebruiken, en een meter getwijnd katoenen garen. De ene rug- en twee buikvinnen lagen plat. De oude man trok zijn katoen door de hoofdgraat van de rugvin, wond het er een paar keer omheen en stak toen de naald door een spierplooi achter de kop. Toen hij de draad strak trok lichtte de rugvin zich op, een verzameling graten en vliezen die in het water verticale stabiliteit gaf. Hij deed hetzelfde met twee buikvinnen en naaide tenslotte met keurige steekjes de bek dicht.

Toen hij klaar was, zag de bonito er vrijwel weer net zo uit als toen hij nog leefde. Zijn drie lichaamsvinnen staken in volmaakte symmetrie uit om rollen of draaien te voorkomen. Zijn omhoogstekende staartvin zou zijn vaart richting geven. De dichte bek voorkwam borrelen en beroering. Alleen de staaldraad tussen zijn vastgeklemde lippen en het kwaadaardige haakje dat onder zijn staart uithing verrieden het feit dat hij voor aas was bestemd. Tenslotte klemde de oude visser met een tangetje het stukje wartel uit de bek van de bonito aan het andere stukje wartel dat aan de bovenkant van de hengel hing vast en deponeerde het nieuwe aas in de oceaan. De nog steeds starende bonito dobberde een paar maal in het kielzog op en neer tot de loden sigaar hem naar beneden trok om zijn laatste reis onder in de zee te beginnen. Hij liet hem zestig meter uitlopen, tot achter het andere aas, voor hij de hengel vastzette en weer terug liep naar zijn schippersstoel. Het water naast hen was van blauwgrijs veranderd in een helder blauwgroen.

Tien minuten later had Higgins opnieuw beet, nu aan de ronde spinner. Hij was tien minuten lang bezig met inhalen en afspoelen. Wat hij aan de haak geslagen had vocht in dolle woede om los te komen. Uit het gewicht waarmee hij trok dachten ze allemaal, dat het wel een flink formaat tonijn zou zijn, maar toen hij binnenboord kwam, was het een smalle dunne vis van een meter lang, met een gouden glans op zijn bovenlichaam en vinnen.

'Een dorado,' zei Kilian. 'Knap werk; dit zijn echte vechters. En ze smaken ook lekker. We zullen de chefkok in St. Geran vragen om hem voor het middageten klaar te maken.'

Higgins kreeg een kleur van genoegen. 'Het leek net of ik aan een op hol geslagen vrachtwagen stond te trekken,' zei hij buiten adem.

De scheepsjongen maakte het aas weer vast en wierp het opnieuw in het schuimende water.

De deining begon nu sterker te worden. Murgatroyd hield zich aan een van de paaltjes die het afdakje boven het voorste gedeelte van de boot steunden vast om beter te kunnen zien. De *Avant* dook woester tussen de grote aanrollende golven door. In de dalen keken ze angstig naar de grote muren van water, aan alle kanten voorbij stromende hellingen waarvan de door de zon verlichte glinstering de verschrikkelijke kracht die eronder school verloochende. Op de toppen konden ze mijlen ver de witte pluimen van al die grote golven zien en in het westen de vage omtrekken van Mauritius aan de horizon.

De zware golven kwam uit het oosten, schouder aan schouder als aaneengesloten gelederen van grote groene gardesoldaten die naar het eiland opmarcheerden, om in het artillerievuur van het rif te sneuvelen. Hij verbaasde zich dat hij niet misselijk werd, want hij was wel eens zeeziek geworden op een veerboot die van Dover naar Boulogne overstak. Maar dat was een groter schip geweest, dat dampend en slingerend door de golven pufte en waar de passagiers de stank van olie, kookvet, blikvoedsel, barluchtjes en elkaar inademden. De kleinere *Avant* worstelde niet met de zee, maar liet zich erop rijden, stortte zich erin en kwam weer omhoog.

Murgatroyd staarde naar het water en kreeg een gevoel van ontzag grenzend aan vrees, dat mensen in kleine bootjes zo vaak overvalt. Een schip kan er in het kalme water van een mondaine jachthaven trots, majestueus, duur en sterk uitzien voor de bewonderende blikken van de modieuze voorbijgangers, het paradepaardje van zijn rijke eigenaar. Buiten op de oceaan is het de zuster van de walmende treiler, de roestige vrachtvaarder, een armzalig geval van gelaste naden en aan elkaar geklonken planken, een broze notedop, die zijn nietige krachten meet met een onvoorstelbare macht, een breekbaar stukje speelgoed in de handpalm van een reus. Ondanks de aanwezigheid van de andere vier voelde Murgatroyd zijn eigen onbeduidendheid en de belachelijkheid van het kleine bootje, het gevoel van eenzaamheid dat de zee kan opwekken. Alleen zij, die op zee of in de lucht, over de wijde sneeuwvlakten of woestijnzand hebben gereisd, kennen dat gevoel. Ze zijn allemaal oneindig en meedogenloos, maar de meest geduchte van allemaal is de zee, omdat hij bewéegt.

Even na negenen mompelde monsieur Patient iets tot niemand in het bijzonder. *'Ya quelque chose,'* zei hij. *'Nous suit.'*

'Wat zei hij?' vroeg Higgins.

'Hij zei dat er daar ginds iets was,' zei Kilian. 'Iets dat ons volgt.'

Higgins staarde om zich heen naar het woelige water. Er was niets anders dan water. 'Hou weet hij dat nou in vredesnaam?' vroeg hij.

Kilian haalde zijn schouders op. 'Net zoals jij weet wanneer er iets in een cijferkolom niet klopt. Instinct.'

De oude man nam gas terug met een lichte aanraking en de *Avant* voer langzamer tot hij nauwelijks nog vooruit leek te gaan. Met het langzamer lopen van de motor leek het stampen en slingeren sterker te worden. Higgins slikte een paar maal het speeksel dat in zijn mond kwam weg. Een kwartier over het uur schokte een van de hengels hard en de lijn begon uit te lopen, niet razendsnel maar in behoorlijk tempo, met het klikkende geluid van de spoel als een ratelende voetbal.

'Voor jou,' zei Kilian tegen Murgatroyd en rukte de hengel uit de steun in de achterplecht om hem in de visstoel te zetten. Murgatroyd kwam uit de schaduw en ging in de vechtstoel zitten. Hij maakte de kolf van de hengel vast aan de klem en pakte de kurken steel stevig in de linkerhand vast. De spoel, een grote Penn Senator als een biervaatje, draaide nog in snel tempo. Hij begon de slippende koppeling te sluiten.

De spanning op zijn arm werd sterk en de roede boog door; maar de lijn bleef lopen.

'Vasthouden,' zei Kilian, 'anders neemt hij je hele snoer mee.'

De bankdirecteur trok de spieren van zijn biceps in en zette de rem nog wat strakker aan. De top van de hengel ging steeds meer naar beneden tot hij op ooghoogte was. De lijn ging langzamer lopen, herstelde zich en ontrolde zich verder. Kilian bukte zich om op de versnelling te kijken. De merktekens op de binnen en buiten ring waren bijna tegenover elkaar.

'Die smeerlap trekt wel tachtig pond,' zei hij. 'Je moet hem nog wat strakker trekken.'

Murgatroyds arm begon pijn te doen en zijn vingers verstevigden hun greep op het kurken handvat. Hij draaide aan het wieltje tot de twee merktekentjes precies tegen over elkaar stonden.

'Verder niet,' zei Kilian. 'Dat is honderd pond, de limiet. Houd beide handen aan de hengel en houd hem goed vast.'

Opgelucht bracht Murgatroyd zijn andere hand naar de hengel, pakte hem met beide handen stevig vast, zette de zolen van zijn gymschoenen tegen de bootrand, zette zijn dijen en kuiten schrap en leunde achterover. Er gebeurde niets. De kolf van de hengel stond verticaal tussen zijn dijen met de top die pal naar het kielzog wees. En de lijn bleef maar uitlopen, kalm en gestadig. De reserve op de spoel was voor zijn ogen aan het afnemen.

'Allemachtig,' zei Kilian, 'dat is een kanjer. Hij trekt over de honderd pond als papieren zakdoekjes uit een doosje. Vasthouden, kerel.'

In zijn opwinding sprak hij met een meer aangezet Zuidafrikaans accent. Murgatroyd zette zijn benen weer schrap, spande zijn vingers, polsen, onderarmen en biceps, boog zijn schouders en zijn hoofd en hield vast. Nog nooit had iemand hem gevraagd een gewicht van honderd pond vast te houden. Na drie minuten hield de spoel eindelijk op met draaien. Wat het ook was dat daar onder het water zat, het had 600 meter snoer meegenomen.

'We moeten je maar even in het harnas hijsen,' zei Kilian. Eerst over de ene en dan de andere arm trok hij de banden om de schouders van Murgatroyd. Twee andere banden gingen om het middel en dan nog een brede tussen de dijen naar boven. Ze sloten allemaal vast in éen gat midden op de buik. Kilian trok het harnas recht. Het gaf enige verlichting in de benen, maar de riemen sneden door het katoenen tennisshirt aan de schouders. Voor het eerst drong het tot Murgatroyd door hoe heet de zon hier was. De bovenkant van zijn dijen begon te prikken.

De oude Patient had zich omgedraaid en stuurde met een hand. Hij had van het begin af naar het afrollen van de lijn gekeken. Zonder inleiding zei hij: 'Marlijn.'

'Is dat goed?' zei Higgins, die bleek was geworden.

'Dat is de koning van alle big-game vis,' zei Kilian. 'Jaar in, jaar uit komen hier rijke lieden om duizenden aan die sport uit te geven en ze vangen nooit een marlijn. Maar hij zal tegen je vechten zoals je nog nooit van je leven iets hebt zien vechten.'

Hoewel de lijn nu niet meer afliep en de vis met de boot meezwom, was hij niet opgehouden met trekken. De top van de hengel boog nog steeds naar het kielzog. De vis bleef tussen de zeventig en negentig pond trekken. De vier mannen stonden zwijgend toe te kijken hoe Murgatroyd vasthield. Vijf minuten klemde hij zich vast aan de hengel, terwijl het zweet op zijn voorhoofd en wangen parelde en naar zijn kin toe druppelde. Langzaam kwam de tip van de hengel omhoog toen de vis harder zwom om de druk op zijn bek te verlichten. Kilian hurkte naast Murgatroyd neer en begon hem te onderrichten als een vlieginstructeur een leerling vóór diens eerste solovlucht.

'Nu inhalen,' zei hij, 'langzaam maar zeker. Breng de spanning maar terug op tachtig pond, voor je eigen gemak, niet dat van hem. Als hij aan de haal gaat en dat doet-ie, laat je hem even gaan en zet de rem weer op honderd. Probeer nooit binnen te draaien zolang hij nog vecht; dan breekt hij je lijn als een katoenen draadje. En als hij naar de boot toezwemt, draai je als een gek binnen. Geef hem nooit een slappe lijn, dan heb je kans dat hij het haakje probeert uit te spuwen.'

Murgatroyd deed wat hem was opgedragen. Hij zag kans vijftig meter binnen te draaien voordat de vis een ontsnappingspoging deed. Door de kracht werd de hengel bijna uit de handen van de man gerukt. Murgatroyd had nog net tijd om zijn andere hand aan de hengel te slaan en hem met beide armen vast te houden. De vis nam nog eens honderd meter lijn mee voor hij met zijn uitval ophield en de boot weer begon te volgen.

'Hij heeft tot nu toe 650 meter lijn genomen,' zei Kilian, 'en je hebt maar 800 meter.'

'Wat moet ik dan doen?' vroeg Murgatroyd tussen zijn tanden. De hengel verslapte en hij begon weer te draaien.

'Bidden,' zei Kilian. 'Met een trekkracht van meer dan honderd pond kun je hem niet meer houden. Dus als hij aan het eind van de lijn op de spoel is gekomen breekt hij hem gewoon.'

'Het wordt zo heet,' zei Murgatroyd.

Kilian keek naar zijn korte broek en hemd. 'Je wordt hier geroosterd,' zei hij. 'Wacht maar even.'

Hij trok de broek van zijn eigen trainingspak uit en schoof de beide pijpen een voor een over Murgatroyds benen. Daarna trok hij hem zo ver mogelijk naar boven. Door het harnas kwam hij niet helemaal tot aan zijn middel, maar de dijen en scheenbenen waren tenminste bedekt. Kilian haalde een reserve-slipover met lange mouwen uit de kajuit. Hij rook naar zweet en vis.

'Ik zal dit ding over je hoofd trekken,' zei hij tegen Murgatroyd, 'maar de enige manier om hem helemaal aan te krijgen is, om het harnas een paar tellen los te maken. Ik hoop alleen maar, dat de marlijn er in die tijd net niet vandoor gaat.'

Ze boften. Kilian schoof de twee schouderriemen af, trok de slipover omlaag tot Murgatroyds middel en knipte toen de schouderbanden weer vast. De vis zwom gewoon met de boot mee en de lijn stond strak, zonder al te veel spanning. Met de slipover aan had Murgatroyd minder last van de zon op zijn armen. Kilian draaide zich om. De oude Patient stak vanaf zijn stoel zijn schippershoed met de brede rand uit. Kilian zette hem op het hoofd van Murgatroyd. De schaduwstrook beschutte zijn ogen en boden wat verlichting, maar de huid van zijn gezicht was al rood verbrand. De reflectie van de zon op het zeewater kan sterker verbranden dan de zon zelf.

Murgatroyd maakte van de passiviteit van de marlijn gebruik om nog wat lijn in te halen. Hij had honderd meter ingedraaid, en iedere meter deed pijn aan zijn vingers op de spoelhendel, want er stond nog veertig pond spanning op de lijn toen de vis weer uitbrak. Hij nam in dertig seconden weer honderd meter terug, een volle honderd pond tegen de slippende rem in trekkend. Murgatroyd boog zich voorover en hield vast. De riemen van het harnas sneden hem overal. Het was tien uur.

Het daarop volgende uur begon hij te begrijpen wat pijn was. Zijn vingers waren stijf en klopten. Zijn polsen deden zeer en uit zijn onderarmen trokken krampen naar zijn schouders. De biceps waren gespannen en de schouders staken. Zelfs onder de trainings- broek en de slipover begon de meedogenloze zon zijn vel weer te schroeien. Driemaal veroverde hij in dat uur honderd meter van de vis terug; driemaal brak de vis los en rukte hij zijn snoer terug.

'Ik geloof, dat ik het niet zo lang meer uit kan houden,' zei hij tussen op elkaar geklemde tanden.

Kilian kwam met een geopend blikje ijskoud bier naast hem staan. Hij had zelf blote benen, maar die waren door jaren in de zon donker geworden. Hij scheen niet te verbranden.

'Vasthouden, kerel, dat is nu juist het gevecht. Hij heeft de kracht en jij hebt de werktuigen en de slimheid. Verder draait het allemaal alleen om het uithoudingsvermogen, van jou tegen hem.'

Even over elven liep de marlijn voor het eerst met zijn staart over het water. Murgatroyd had hem tot 500 meter binnenge- haald. De boot lag één seconde op de kam van een golf. Over het kielzog kwam de vis uit de zijkant van een groene watermuur ge- sprongen en de mond van Murgatroyd viel open. De naaldscherpe snavelbek van de bovenkaak deed een uitval naar de lucht; de kortere onderkaak hing open. Boven en achter het oog stond de gekuifde rugvin als een hanekam recht omhoog gestoken. De glin- sterende omvang van zijn lichaam volgde en toen de golf waaruit hij gekomen was wegebde, leek de marlijn op zijn halvemaanvor- mige staart te staan. Zijn grote lijf schudde alsof hij op zijn staart liep. Eén seconde stond hij daar, over die watervlakte van witte koppen naar hen te staren. Toen stortte hij weer terug in een vol- gende deinende muur en was verdwenen, naar zijn eigen donkere wereld in de diepte. De oude Patient verbrak het eerst de stilte.

'*C'est l'Empereur*,' zei hij.

Kilian draaide zich met een ruk om. '*Vous êtes sûr?*' vroeg hij. De oude man knikte alleen.

'Wat zei hij?'

Murgatroyd keek naar de plek waar de vis verdwenen was. Toen begon hij hem langzaam en regelmatig weer in te draaien.

'Ze kennen die vis hier,' zei Kilian. 'Als het dezelfde is en bij mijn weten heeft de oude man het nog nooit bij het verkeerde eind gehad, is het een blauwe marlijn. Men schat dat hij groter is dan het wereldrecord van 1100 pond, waaruit blijkt dat hij oud en zeer geslepen moet zijn. Hij wordt de Keizer genoemd. Hij is bij de vissers een legende.'

'Maar hoe kunnen ze nu één bepaalde vis herkennen?' zei Higgins. 'Ze lijken toch allemaal op elkaar.'

'Deze is twee keer aan de haak geslagen geweest,' zei Kilian. 'Hij heeft tweemaal de lijn gebroken. Maar de tweede maal was hij dicht bij de boot bij de rivier de Noire. Ze hebben de eerste haak uit zijn bek zien hangen. Toen heeft hij in de laatste minuut de lijn gebroken en heeft hij weer een haak meegenomen. Iedere keer als hij aan de haak zat liep hij een paar keer op zijn staart, zodat iedereen hem goed kon opnemen. Iemand heeft midden in de lucht een foto van hem genomen, dus hij is goed bekend. Ik zou hem op een afstand van 500 meter niet kunnen identificeren, maar Patient heeft, zo oud als hij is, de ogen van een jan-van-gent.'

Tegen twaalf uur zag Murgatroyd er oud en ziek uit. Hij zat in een heel eigen wereld over zijn hengel gebogen, alleen met zijn pijn en met een innerlijke vastberadenheid, die hij nog nooit ondervonden had. Uit de palmen van allebei zijn handen liep water uit de gebarsten blaren, de riemen doorweekt van het zweet sneden meedogenloos in door de zon vervellende schouders. Hij boog zijn hoofd en draaide de lijn in.

Soms ging het heel licht alsof de vis ook even uitrustte. De verlichting, als de spanning even van de lijn was, was een genot, zo verrukkelijk, dat hij het later nooit meer kon beschrijven. Als de hengel krom stond en al zijn pijnlijke spieren zich weer schrap zetten tegen de vis, leed hij een onbeschrijflijke pijn.

Even na twaalven hurkte Kilian bij hem neer en bood hem nog een biertje aan. 'Hoor eens, man, je bent al helemaal kromgetrokken. Je bent nu al drie uur bezig en je bent echt aan het eind van je Latijn. Je hoeft jezelf niet te vermoorden. Als je hulp nodig hebt, even wilt rusten, moet je het zeggen.'

Murgatroyd schudde zijn hoofd. Zijn lippen waren gebarsten van de zon en het zoute water.

'Míjn vis,' zei hij. 'Laat me begaan.'

De strijd ging verder terwijl de zonnestralen op het dek beukten.

De oude Patient troonde als een wijze bruine aalscholver op zijn hoge kruk, met één hand aan het roer, de motoren op de laagste stand, met omgedraaid hoofd om het kielzog naar een teken van de Keizer af te speuren. Jean-Paul zat in de schaduw van het zonnescherm in elkaar gedoken, nadat hij de andere drie hengels al lang naar binnen had gedraaid en opgeborgen. Niemand had nu belangstelling voor bonito en overbodige lijnen raakten alleen maar met elkaar verward. Higgins was eindelijk aan de deining ten prooi gevallen en zat diep ellendig met het hoofd boven een emmertje gebogen, waarin hij de boterhammen en twee flesjes bier die hij voor de brunch genuttigd had, gedeponeerd had. Kilian zat tegenover hem en lurkte aan zijn vijfde koude pils. Af en toe keken ze eens naar de voorover gebogen figuur als een vogelverschrikker onder zijn inlandse hoedje in de draaistoel en luisterden naar het gerikketik van de binnendraaiende spoel of het wanhopige ziiiiing als de lijn weer naar buiten schoot.

De marlijn was tot 300 meter genaderd toen hij opnieuw liep. Deze keer zat de boot in een golfdal en de Keizer spleet het water pal naar hen toe gericht. Hij kwam in een sprong omhoog te voorschijn en schudde de druppels van zijn rug. De boog van de sprong liep over het kielzog en plotseling viel de lijn helemaal slap.

Meteen was Kilian op de been.

'Lijn inhalen,' gilde hij. 'Anders spuwt hij de haak uit.'

Murgatroyds vermoeide vingers draaiden als in een waas aan de hendel van de spoel om de slappe lijn in te nemen. Hij kreeg het net op tijd voor elkaar. De lijn trok strak toen de marlijn in de zee terugdook en hij was vijftig meter ingelopen, maar toen pakte de vis alles weer terug. Daar beneden in de stille donkere diepte, vademen onder de golven en de zon, keerde de grote diepzeejager met een door miljoenen jaren evolutie verscherpt instinct zich tegen het trekken van de vijand, nam de spanning in de hoek van zijn benige bek en dook.

De kleine bankdirecteur in zijn stoeltje kromde zich opnieuw, kneep de pijnlijke vingers om het natte kurkhandvat, voelde de riemen als dunne staaldraden in zijn schouders snijden en hield vast. Hij zag de nog natte nylonlijn voor zijn ogen vadem na vadem uitlopen. Er waren vijftig meter afgerold en nog steeds was de vis aan het duiken.

'Hij moet omdraaien en weer boven komen,' zei Kilian, die over de schouder van Murgatroyd toekeek. 'Op dat moment moet je hem binnendraaien.'

Hij bukte en keek in het knalrode, vervellende gezicht. Er drongen twee tranen uit de half dichte ogen en liepen over de hangwangen van Murgatroyd. De Zuidafrikaan legde een bemoedigende hand op zijn schouder.

'Hoor eens,' zei hij, 'je kán niet meer. Zal ik even voor je in de plaats gaan zitten, al is het maar voor een uurtje? Dan kun jij het laatste stuk weer overnemen, als hij dichtbij is en op het punt staat op te geven.'

Murgatroyd keek naar de remmende lijn. Hij opende zijn mond om iets te zeggen. Een barst in zijn lip spleet wijd open en er druppelde een straaltje bloed naar zijn kin. De kurkgreep werd glibberig van het bloed dat uit zijn handpalmen kwam.

'Míjn vis,' zei hij schor. 'Míjn vis.'

Kilian stond op. 'Goed, Engelsman, het is jouw vis,' zei hij.

Het was twee uur in de middag. De zon gebruikte het achterdek van de *Avant* als privé-aambeeld. De Keizer hield op met duiken en de spanning op de lijn liep terug tot veertig pond. Murgatroyd begon weer in te halen.

Een uur later sprong de marlijn voor de laatste keer uit de zee. Hij was nog maar op een afstand van honderd meter. Op zijn sprong vlogen Kilian en de scheepsjongen naar de railing om te kijken. Twee tellen hing hij boven het schuim, zijn kop heen en weer schuddend als een terrier om de haak af te werpen, die hem onverbiddelijk naar zijn vijanden toetrok. Uit de hoek van zijn bek flikkerde een losse flard staaldraad in het zonlicht toen hij sidderde. Toen kwam hij met een klap van vlees op water in de zee terecht en verdween.

'Dat is hem,' zei Kilian vol ontzag, 'dat is de Keizer. Hij weegt op zijn minst 1200 pond en is van kop tot staart zes meter lang. Met die typische puntige snavel van de marlijn kan hij als hij in volle vaart van veertig knopen per uur zwemt een stuk hout van vijfentwintig centimeter doorboren. Wat een prachtexemplaar.'

Hij riep achterom tegen monsieur Patient: *'Vous avez vu?'*

De oude man knikte.

'Que pensez-vous? Il va venir vite?'

'Deux heures encore,' zei de oude man. *'Mais il est fatigué.'*

Kilian hurkte naast Murgatroyd. 'De oude man zegt, dat hij nu moe is,' zegt hij. 'Maar hij zal misschien nog een paar uur vechten. Wil je doorgaan?'

Murgatroyd keek naar de plek waar de vis verdwenen was. Zijn blik was wazig van vermoeidheid en zijn hele lichaam was één verschroeiende pijn. Heftiger pijnscheuten trokken door zijn rechterschouder, waar hij een spier had gescheurd. Hij had nog nooit zijn allerlaatste reserves van wilskracht hoeven aanspreken, dus hij wist niet wat het was. Hij knikte. De lijn lag stil, de hengel was gebogen. De Keizer trok, maar niet tot honderd pond. De bankier bleef zitten en hield vol.

Gedurende nog eens negentig minuten vochten zij het uit, de man uit Ponder's End en de grote marlijn. Viermaal deed de vis een uitval en trok de lijn mee, maar zijn vluchtpogingen duurden korter naarmate de inspanning om honderd pond tegen de remmende slip in te trekken zelfs zijn oerkracht uitputten. Vier maal trok Murgatroyd hem met pijn en moeite terug en won iedere keer een paar meter extra. Zijn uitputting was het delirium nabij. De spieren in zijn kuiten en dijen flikkerden woest als gloeilampen vlak voor kortsluiting. Steeds vaker kreeg hij een waas voor de ogen. Om half vijf had hij zevenenhalf uur gestreden en niemand kon dat zelfs van een kerngezonde man verlangen. Het was slechts een kwestie van tijd en het duurde niet lang meer. Een van beiden moest knappen.

Om twintig voor vijf ging de lijn slap hangen. Het overrompelde Murgatroyd. Toen begon hij binnen te draaien. De lijn trok niet meer zo hard. Het gewicht was er nog wel, maar het was passief. Het trillen was opgehouden. Kilian hoorde het ritmische gerikketik van de draaiende spoel en kwam uit de schaduw naar de bootrand om van de achterplecht te turen.

'Daar komt hij,' schreeuwde hij, 'de Keizer komt eraan.'

De zee was bij het vallen van de avond kalmer geworden. De witte koppen waren verdwenen en hadden plaats gemaakt voor een lichte, rustige deining. Jean-Paul en Higgins, die nog wel draaierig was maar niet meer overgaf, kwamen ook kijken. Monsieur Patient zette de machines af en zette het roer vast. Toen daalde hij van zijn kruk af en kwam naar hen toe. In de stilte keek het groepje naar het water achter de boot.

Iets verbrak het gladde wateroppervlak, iets dat rolde en slingerde, maar dat op last van de nylonlijn naar de boot toebewoog.

De gekuifde vin stak een ogenblik omhoog en rolde toen zijwaarts. De lange snavel stak omhoog en zonk toen onder het water.

Op twintig meter afstand konden zij de enorme omvang van de Keizer onderscheiden. Tenzij er nog één heftige krachtsinspanning in zijn beender- en spiergestel was overgebleven, zou hij niet meer uitbreken naar de vrijheid. Hij had het opgegeven. Op zes meter afstand kwam het uiteinde van de staaldraad omhoog naar het topje van de hengel. Kilian trok een zware leren handschoen aan en greep hem beet. Hij trok hem met de hand naar binnen. Ze letten geen van allen meer op Murgatroyd die in elkaar gezakt in zijn stoel zat.

Hij liet voor het eerst sinds acht uur de hengel los en viel voorover tegen de rand van de boot. Langzaam en pijnlijk gespte hij het harnas los en de riemen vielen af. Hij bracht het gewicht over op zijn voeten en trachtte op te staan. Zijn kuiten en dijen waren te zwak en hij zakte in de spuigaten naast de dode dorado. De vier anderen tuurden over de rand naar wat nu onder de achtersteven dobberde. Terwijl Kilian langzaam aan de staaldraadwartel trok, die door zijn handschoen gleed, sprong Jean-Paul op om op de rand te gaan staan met een grote speerhaak boven zijn hoofd geheven. Murgatroyd keek op en zag de jongen daar balanceren met de punt met de kromme haak in de lucht.

Zijn stem klonk meer als een schor gekras dan als een schreeuw. 'Née.'

De jongen versteende en keek naar beneden. Murgatroyd lag op handen en knieën naar het kistje met visgerei te kijken. Bovenop lag een staaldraadtang. Hij pakte hem met de duim en vinger van de linkerhand en drukte hem in de vleespulp van zijn rechterhand. Langzaam sloot hij zijn vingers over het handvat. Met zijn vrije hand hees hij zich omhoog en leunde over de achtersteven.

De Keizer lag vlak onder hem, bijna tot stervens toe uitgeput. Het reusachtige lichaam lag dwars over het kielzog van de boot op zijn zij, met de mond half open. Uit de ene mondhoek hing de stalen wartel van een vorig gevecht met de sportvissers, nog glimmend van nieuwheid. In de onderkaak stak een andere haak, die reeds lang verroest was. Uit Kilians hand liep een staaldraad naar de derde haak, van hem zelf, die diep in het kraakbeen van de bovenlip stak. Er was nog maar een klein stukje schacht te zien.

De golven spoelden achter elkaar over het blauwzwarte lichaam van de marlijn. Een halve meter van hem af staande staarde de vis met één gemarmerd oog als een theeschoteltje Murgatroyd aan. Hij leefde nog maar had geen kracht meer om te vechten. De lijn van zijn bek naar Kilians hand stond strak. Murgatroyd leunde langzaam voorover, met zijn rechterhand naar de bek van de vis uitgestoken.

'Je kunt hem straks wel aaien, man,' zei Kilian. 'Laten we hem eerst binnenhalen.'

Met een weloverwogen gebaar zette Murgatroyd de knijpers van de tang aan weerszijden van de stalen wartel, waar hij om de schacht van de haak vast gedraaid zat. Hij kneep. Het bloed droop uit zijn handpalm en liep in het zoute water boven de kop van de marlijn. Hij kneep nog eens en de staaldraad brak. 'Wat doe je nou? Hij ontsnapt!' schreeuwde Higgins.

De Keizer staarde Murgatroyd aan toen een nieuwe golf over hem heen spoelde. Hij schudde zijn vermoeide oude hoofd en stak de spits van zijn bek in het koele water. De volgende golf rolde hem weer op zijn buik en hij liet zijn kop nog dieper zinken. Aan de linkerkant ging zijn grote staartvin op en neer, vermoeid naar het water sturend. Toen hij contact maakte, flapperde hij tweemaal en stuwde het lichaam voorwaarts en naar beneden. De staart was het laatste dat zij zagen, die zwaar van uitputting de marlijn terugstuurde onder de golven, naar de koude duisternis waar hij thuishoorde.

'Godallemachtig,' zei Kilian.

Murgatroyd trachtte zich op te richten, maar er was te veel bloed naar zijn hoofd gestroomd. Hij wist nog dat de hemel eenmaal in een grote cirkel ronddraaide en dat het heel snel donker werd. Het dek kwam omhoog en trof hem eerst in de benen en daarna in het gezicht. Hij raakte bewusteloos. De zon hing boven de bergen van Mauritius in het westen.

Hij was al een uur onder gegaan toen de *Avant* over de lagune naar huis stoomde en Murgatroyd weer bij was gekomen. Onderweg had Kilian hem van de broek en de slipover ontdaan, zodat de koele avondlucht om de verschroeide ledematen kon spelen. Murgatroyd had inmiddels achter elkaar drie biertjes gedronken en zat in elkaar gezakt op een bank, met gekromde schouders en zijn handen in een emmertje reinigend zout water. Hij keek niet op toen de boot langs de houten steiger aanmeerde en Jean-Paul op een holletje naar het dorp rende.

De oude monsieur Patient zette de motoren af en vergewiste zich ervan dat de vanglijnen stevig waren vastgemaakt. Hij wierp de grote bonito en de dorado op de kade en borg het visgerei en het aas weg. Kilian tilde de ijsbox op de steiger en sprong terug in de open boot.

'Tijd om te gaan,' zei hij.

Murgatroyd hees zich overeind en Kilian hielp hem op de kant. De rand van zijn korte broek hing tot onder zijn knieën en zijn shirt fladderde los om hem heen, donker van opgedroogd zweet. Zijn gymzolen maakten een zuigend geluid. Er stond een stelletje dorpelingen langs de smalle steiger, zodat ze achter elkaar moesten lopen, met Higgins voorop.

De eerste die in de rij stond was monsieur Patient. Murgatroyd had hem graag een hand willen geven, maar dat deed te veel pijn. Hij knikte tegen de schipper en glimlachte.

'Merci,' zei hij.

De oude man, die zijn hoedje weer terug had, trok het van zijn hoofd. 'Salut, Maître,' antwoordde hij.

Murgatroyd liep langzaam over de steiger. De dorpelingen knikten allemaal met hun hoofd en zeiden: 'Salut, Maître.' Ze kwamen aan het eind van het plankier en stapten op het grint van de dorpsstraat. Er stond een grote menigte om de auto heen geschaard. 'Salut, salut, salut, Maître,' zeiden ze zacht.

Higgins was bezig de reservekleding en de lege brunchdoos op te bergen. Kilian tilde de ijsbox in de bagageruimte en sloeg de klep dicht. Hij kwam naar de zijkant met de achterbank, waar Murgatroyd stond te wachten.

'Wat zeggen ze?' fluisterde Murgatroyd.

'Ze groeten je,' zei Kilian. 'Ze noemen je een meester-visser.'

'Vanwege de Keizer?'

'Hij is hier in zekere zin een legende.'

'Omdat ik de Keizer heb gevangen?'

Kilian lachte zachtjes. 'Nee, Engelsman, omdat je hem zijn leven terug hebt gegeven.'

Ze stapten in de auto, Murgatroyd achterin, waar hij zich dankbaar in de kussens liet zakken, zijn handen met de brandende palmen gekromd in de schoot. Kilian ging achter het stuur zitten, met Higgins naast hem.

'Nou, Murgatroyd,' zei Higgins, 'die dorpelingen hebben wel een hoge pet van je op.'

Murgatroyd keek naar de glimlachende bruine gezichten en de wuivende kinderen.

'Voor we teruggaan naar het hotel, zullen we maar even langs het ziekenhuis in Flacq rijden, zodat de dokter even naar je kan kijken,' zei Kilian.

De jonge Indiase arts verzocht Murgatroyd zich uit te kleden en klakte bezorgd zijn tong om wat hij zag. De billen waren ontveld en rauw van het voortdurend heen en weer schuiven over de zitting van het visstoeltje. Er liepen diepe paarse striemen over de plaatsen waar de riemen in schouders en rug hadden gesneden. Armen, dijen en scheenbenen waren rood en geschilferd van zonnebrand en het gezicht was opgezwollen van de hitte. De beide handpalmen zagen eruit als rauwe biefstuk.

'Goeie hemel,' zei de dokter. 'Daar ben ik zo een, twee, drie niet mee klaar.'

'Zal ik hem over zeg, een paar uurtjes komen halen?' vroeg Kilian.

'Dat is niet nodig,' zei de dokter. 'Op weg naar huis kom ik praktisch langs het Hôtel St. Geran. Ik zal mijnheer daar wel afzetten.'

Het was tien uur, toen Murgatroyd door de poorten van de St. Geran het licht van de zaal binnenwandelde. De dokter was nog bij hem. Een van de gasten zag hem binnenkomen en rende de eetzaal in om het de late eters te vertellen. Het nieuws verspreidde zich naar de bar van het zwembad buiten. Er klonk een geschraap van stoelen en gekletter van tafelgerei. Even later kwam een drom vakantiegangers de hoek om en de zaal door naar hem toe. Ze bleven halverwege staan.

Hij bood een zonderlinge aanblik. Zijn armen en benen waren dik ingesmeerd met zinkzalf, dat tot een kalkwitte kleur was opgedroogd. De beide handen waren als van een mummie dik omwikkeld met wit verband. Zijn gezicht was knalrood en glom van de erop aangebrachte crème. Zijn haar hing als een woeste stralenkrans om zijn gezicht en zijn korte khakibroek hing nog steeds tot op kniehoogte. Hij zag eruit als een foto-negatief. Langzaam begon hij naar de menigte toe te lopen, die voor hem uitweek.

'Goed werk, kerel,' zei de een.

'Een felicitatie waard,' zei een ander.

Een hand geven was uit de boze. Iemand wilde hem op de rug kloppen, toen hij langs hen heen liep, maar de dokter wuifde hen weg. Sommigen hieven hun glas bij wijze van toost. Murgatroyd bereikte de onderkant van de stenen trap naar de slaapkamers en begon die op te klimmen.

Op dat moment kwam mevrouw Murgatroyd, gealarmeerd door het rumoer bij de terugkomst van haar man, uit de kapperssalon. Ze had de dag doorgebracht met zich op te winden tot een staat van laaiende woede, sinds ze hem 's morgens, in raadsels door zijn afwezigheid op hun eigen plekje op het strand, was gaan zoeken en vernomen had waar hij naar toe was gegaan. Ze had een hoogrood gezicht, maar dat kwam meer van kwaadheid dan van de zon. Haar permanent voor de terugreis was nog niet klaar en de krulspelden staken als batterijen uit haar schedel.

'Murgatroyd,' zei ze met donderende stem – ze noemde hem altijd bij zijn achternaam als ze boos was – 'waar ga jij in vredesnaam naar toe?'

Op de overloop halverwege draaide Murgatroyd zich om en keek neer op de verzamelde menigte en op zijn vrouw. Kilian zou later aan collega's vertellen, dat hij een vreemde blik in zijn ogen had. De menigte viel stil.

'En wat zie je eruit,' riep Edna Murgatroyd buiten zichzelf van verontwaardiging omhoog tegen hem.

De bankdirecteur deed iets wat hij in jaren niet gedaan had. Hij schreeuwde.

'Zwíjg . . .'

Edna Murgatroyd's mond viel open, net zo wijd als die van de vis, maar met minder waardigheid.

'Vijfentwintig jaar lang, Edna,' zei Murgatroyd rustig, 'heb je gedreigd om bij je zuster in Bognor te gaan wonen. Het zal je genoegen doen te weten, dat ik je niet langer zal tegenhouden. Ik ga morgen niet met je mee terug. Ik ben van plan hier, op dit eiland, te blijven.'

De menigte staarde met stomheid geslagen naar hem op.

'Je zult niet armlastig zijn,' zei Murgatroyd. 'Ik zal mijn huis en mijn opgespaarde geld aan je overmaken. Ik zal zelf mijn opgebouwde pensioengelden nemen en mijn buitensporige levensverzekering te gelde maken.'

Harry Foster nam een slok uit zijn bierblikje en boerde.

Higgins zei bibberig: 'Je kunt toch niet uit Londen weggaan, kerel. Dan heb je niets om van te leven.'

'O, jawel, hoor,' zei de bankdirecteur. 'Ik heb mijn besluit genomen en daar kom ik niet op terug. Ik heb dit allemaal bedacht in het ziekenhuis, toen monsieur Patient kwam kijken hoe het met me ging. Wij hebben een overeenkomst gesloten. Hij verkoopt mij zijn boot en dan heb ik nog genoeg over voor een hutje op het strand. Hij blijft als kapitein aan en doet zijn kleinzoon op de middelbare school. Ik zal zijn scheepsjongen zijn en twee jaar lang leert hij mij alles over de zee en de vis. Daarna ga ik met toeristen uit vissen en op die manier verdien ik mijn brood.'

De verzamelde vakantiegangers bleven in stomme verbazing naar hem staan opkijken.

Het was Higgins, die opnieuw de stilte verbrak. 'Maar Murgatroyd, hoe moet het dan met de bank, kerel? En met Ponder's End?'

'En hoe moet het dan met mij?' jammerde Edna Murgatroyd.

Hij overdacht zorgvuldig iedere vraag.

'De bank kan doodvallen,' zei hij tenslotte. 'Ponder's End kan doodvallen. En u, mevrouw, kunt ook doodvallen.'

Na die woorden draaide hij zich om en beklom de laatste paar treden. Achter hem barstte een luid gejuich los. Toen hij door de gang naar zijn kamer liep, werd hij gevolgd door een met drank besproeide afscheidsgroet.

'Houen zo, Murgatroyd.'

Er zijn van die dagen ...

De auto-veerboot *St. Kilian* uit Le Havre begroef haar neus in een volgende aanrollende golf en schoof haar lompe omvang een paar meter dichter naar Ierland. Ergens op dek A leunde chauffeur Liam Clarke over de railing en keek recht voor zich uit om de heuvels van het graafschap Wexford naderbij te zien komen.

Over twintig minuten zou de veerboot van de Irish Continental Line in het havenplaatsje Rosslare aanmeren en zat er weer een tocht naar Europa op. Clarke keek op zijn horloge; het was 's middags tien over half één en hij verheugde zich erop om voor het avondeten weer thuis bij zijn gezin in Dublin te zijn.

Ze waren weer keurig op tijd. Clarke verliet de railing en liep terug naar de passagiersruimte om zijn reistas te halen. Het had geen zin om nog langer te wachten en hij ging alvast naar het auto-dek drie verdiepingen lager, waar zijn zware vrachtwagen tussen de andere stond te wachten. Passagiers met een auto werden het laatst opgeroepen, maar hij vond het beter om maar vast in zijn cabine te gaan zitten. Voor hem was het niets nieuws meer om het schip in de haven te zien aanleggen; de sportpagina met de paarde-koersen van de Ierse krant, die hij aan boord gekocht had, boeide hem meer, ook al was hij van de vorige dag.

Hij hees zich omhoog en installeerde zich in de behaaglijke warmte van zijn cabine, waar hij op zijn gemak ging zitten wachten tot de grote deuren van het ruim opengingen om hem door te laten op de kade van Rosslare. Boven het zonneschermpje voor hem zat zijn bundeltje douanepapieren veilig opgeborgen, zodat hij ze in de loods meteen bij de hand had.

De *St. Kilian* passeerde om vijf minuten voor twee de havendam en om klokslag twee uur gingen de deuren open. Op het onderste autodek was er reeds een oorverdovend lawaai toen ongeduldige toeristen lang voor het nodig was hun motoren startten. Dat deden ze altijd. Honderden uitlaten braakten gaswolken uit, maar de grote vrachtwagens stonden vooraan en gingen er het eerst af, want tijd was geld.

Clarke drukte de startknop in en de motor van zijn grote Volvo-combinatie kwam trillend tot leven. Hij was de derde in de rij toen de verkeersleider hen wenkte. De twee andere vrachtwagens reden met brullende uitlaten de kletterende stalen loopplank naar de kade op en Clarke volgde hen. In de gedempte stilte van zijn cabine hoorde hij het gesis van de hydraulische remmen die werden losgelaten en toen waren de stalen platen onder hem.

Door het luide gebrul van de andere motoren en het gekletter van de staalplaten onder zijn wielen hoorde hij niet de luide knal die ergens onder en achter hem uit zijn eigen wagen kwam. Hij kwam uit het ruim van de *St. Kilian*, reed 200 meter over de hobbelige keien van de kade en weer de duisternis in, nu van de grote overkapping van de douaneloods. Door de vooruit zag hij een van de beambten, die hem naar een inham naast de voorgaande vrachtwagens wenkte en hij volgde de aanwijzingen op. Toen hij op de goede plaats stond, zette hij de motor af, pakte zijn bundeltje papieren van achter de zonneklep en liet zich op de betonnen vloer zakken. Hij kende als vaste klant de meeste douanebeambten, maar niet deze. De man knikte en stak zijn hand naar de papieren uit. Hij begon ze door te bladeren.

De ambtenaar had maar tien minuten nodig om zich ervan te overtuigen dat alles in orde was – rijbewijs, verzekering, vrachtbrief, invoerrechten, vergunningen, enzovoort – de hele papierwinkel van controles, die blijkbaar vereist was om goederen van het ene land naar het andere te vervoeren, zelfs binnen de EEG. Hij stond op het punt ze weer aan Clarke te overhandigen, toen zijn oog ergens op viel.

'Hallo, wat is dat nou?' vroeg hij.

Clarke volgde zijn blikrichting en zag onder de cabine van de vrachtwagen een plas olie, die zich gestadig verspreidde. Het lekte ergens in de buurt van de achteras van de truck.

'O, jasses,' zei hij wanhopig, 'het lijkt wel of het differentieel kapot is.'

De douaneman wenkte een oudere collega naderbij, die Clarke wel kende, en de beide mannen bukten zich om te kijken, waar de oliestroom vandaan kwam. Er lag al ruim een liter op de vloer van de loods en er kwam nog wel twee liter bij. De oudste douaneman richtte zich op.

'Daar kom je niet ver mee,' zei hij, en voegde er tegen zijn jongere collega achter: 'We moeten die anderen er maar omheen leiden.'

Clarke kroop onder de truck om de zaak beter te bekijken. Vanaf de motor voorin liep een dikke aandrijfas naar een gietijzeren blok, het differentieel. In dit huis werd de kracht van de draaiende cardanas naar weerskanten overgebracht naar de achteras, waardoor de truck werd voortbewogen. Dit werd tot stand gebracht door een ingewikkeld samenstel van tandwielen in het huis en deze wielen draaiden permanent in een bad van smeerolie. Zonder deze olie zouden de tandwielen binnen de kortste keren helemaal vastlopen en de olie eruit stromen. Het gietijzeren neusstuk van het differentieel was gebarsten.

Boven deze as lag het platform, waar de oplegger op rustte waarin zich de lading bevond. Clarke kwam er onder vandaan.

'Hij is finaal aan diggelen,' zei hij. 'Ik moet het kantoor waarschuwen. Mag ik de telefoon even gebruiken?'

De oudere douaneambtenaar maakte een hoofdbeweging in de richting van het glazen kantoortje en ging verder met zijn onderzoek van de andere vrachtwagens. Een paar chauffeurs leunden tegen hun cabines en riepen schertsende opmerkingen tegen Clarke toen hij naar de telefoon liep.

In het kantoor in Dublin bleek niemand aanwezig te zijn. Iedereen was weg om koffie te drinken. Clarke hing chagrijnig rond in de douaneloods tot de laatste toeristenauto uit de loods vertrok om landinwaarts te rijden. Om drie uur lukte het hem de bedrijfsleider van Tara Transportation te pakken te krijgen en hem zijn probleem voor te leggen. De man vloekte.

'Dat heb ik, denk ik, niet in voorraad,' zei hij tegen Clarke. 'Daarvoor moet ik bij de hoofddealer van Volvo Trucks zijn. Bel me over een uurtje maar terug.'

Om vier uur was er nog steeds geen nieuws en om vijf uur wilden de douanemensen de tent sluiten, nadat de laatste veerboot van die dag uit Fishguard was aangekomen. Clarke belde nog een keer op om te zeggen, dat hij die nacht in Rosslare overbleef en over een uur nog eens zou informeren. Een van de douaneambtenaren was zo vriendelijk hem de stad in te rijden en bracht hem naar een pension met logies en ontbijt. Clarke nam een kamer voor die nacht.

Om zes uur zeiden ze op het hoofdkantoor dat ze de volgende morgen om negen uur een nieuw differentieel neusstuk zouden laten halen en door een monteur van de firma met een bestelwagen laten brengen. De man zou 's middags om twaalf uur bij hem zijn. Clarke belde zijn vrouw op om te zeggen, dat hij een dag later kwam, at een broodje en ging naar een café. In de douaneloods vijf kilometer verderop stond de voor Tara zo kenmerkende groen met witte truck stil en eenzaam boven een plas olie.

Clarke nam de kans waar om de volgende morgen uit te slapen en stond om negen uur op. Hij belde om tien uur het hoofdkantoor en daar zeiden ze dat de bestelwagen het onderdeel had gehaald en over vijf minuten zou vertrekken. Om elf uur liftte hij weer naar de haven. De firma had woord gehouden en de kleine bestelwagen met de monteur aan het stuur, kwam om twaalf uur over de kade aanrammelen, de douaneloods in. Clarke wachtte hem op.

De gemoedelijke monteur kroop als een fret onder de vrachtwagen en Clarke hoorde hem tut-tut mompelen. Toen hij er onder vandaan kwam zat hij al helemaal onder de olie.

'Huis van het neusstuk,' zei hij overbodig. 'Pal doormidden gescheurd.

'Hoeveel tijd?' vroeg Clarke.

'Als je me een handje helpt, kun je over anderhalf uur weg.'

Het duurde wel iets langer. Eerst moesten ze de olie opdweilen en drie liter is een flinke plas. Toen pakte de monteur een zware ringsleutel en draaide voorzichtig de grote bouten los, die het neusstuk met het differentieelhuis verbonden. Daarna trok hij de beide steekassen eruit en begon de cardanas te verwijderen. Clarke zat op de vloer naar hem te kijken en gaf af en toe een stuk gereedschap aan als het hem gevraagd werd. De douanemensen keken naar hen allebei. Er gebeurt niet veel in een douaneloods tussen de aankomst van de veerboten.

Het kapotte neusstuk kwam er tegen énen in brokken af. Clarke begon honger te krijgen en had wel graag even naar het café een eindje verderop willen gaan om een stukje te eten, maar de monteur wilde opschieten. Buiten op zee voer de *St. Patrick*, het kleinere zusterschip van de *St. Kilian* over de horizon op de thuisreis naar Rosslare.

De monteur begon nu aan dezelfde werkwijze in omgekeerde volgorde. Het nieuwe neusstuk werd vastgezet, de cardanas en de steekassen werden opnieuw gemonteerd. Om half twee was de *St. Patrick* duidelijk zichtbaar voor iedereen die uitkeek.

Murphy keek uit. Hij lag op zijn buik in het dorre gras op de lage rand van hellende grond achter de haven, onzichtbaar voor iemand op honderd meter afstand en daar was niemand. Hij had zijn verrekijker voor de ogen en hield het naderende schip in de gaten.

'Daar komt hij aan,' zei hij. 'Precies op tijd.'

Brendan, de sterke man die naast hem in het lange gras lag, gromde. 'Denk je, dat het zal lukken, Murphy?' vroeg hij.

'O, vast, ik heb het helemaal opgezet als een militaire operatie,' zei Murphy. 'Het kan niet misgaan.'

Een echte beroepsmisdadiger had Murphy, die scharrelde als handelaar in oud roest met als bijverdienste handel in autowrakken, kunnen vertellen, dat hij met zo'n grap een beetje buiten zijn boekje ging, maar Murphy had een paar duizend pond van zijn eigen geld in het plan gestoken en hij was er niet van af te brengen. Hij bleef de naderende veerboot in het oog houden.

In de loods draaide de monteur de laatste moeren om het nieuwe neusstuk vast, kroop er onder vandaan, stond op en rekte zich uit.

'Ziezo,' zei hij, 'en nu doen we er nog even drie liter olie in en je kunt er weer vandoor.'

Hij schroefde een kleine vulstop in de zijkant van het differentieelhuis los, terwijl Clarke een $4^1/2$ literblik olie en een trechter uit het bestelbusje haalde. Buiten draaide de *St. Patrick* behoedzaam zijn neus in de aanleghaven en hij werd verankerd. De luiken gingen open en de oprijklep kwam naar beneden. Murphy hield de kijker stil en tuurde naar het donkere gat in de boeg van de *St. Patrick*. De eerste vrachtwagen die eruit kwam was donkerbruin met Franse kentekens. De tweede die naar buiten in het middagzonlicht kwam, glansde in wit en smaragdgroen. Op de zijkant van de oplegger stond met grote groene letters het woord TARA. Murphy liet langzaam zijn adem ontsnappen.

'Daar is hij,' zei hij zachtjes, 'dat is die schat van ons.'

'Zullen we nu gaan?' vroeg Brendan, die zonder verrekijker niet veel kon zien en zich begon te vervelen.

'Er is geen haast bij,' zei Murphy. 'Even wachten tot we hem uit de loods zien komen.'

De monteur schroefde de vulstop vast en wendde zich tot Clarke.

'Zo, nou is hij weer helemaal voor mekaar,' zei hij. 'Ik ga me intussen eens even wassen. Misschien kom ik je onderweg naar Dublin nog wel tegen.'

Hij zette het olieblik en zijn overige gereedschappen weer in zijn bestelwagen, haalde er een fles schoonmaakvloeistof uit en ging op weg naar het washok. De grote vrachtwagen van Tara Transportation kwam met veel geraas de ingang van de loods binnenrijden. Een douanebeambte wuifde hem naar een inham naast zijn maat en de chauffeur stapte eruit.

'Wat is er nou met jou aan de hand, Liam?' vroeg hij.

Clarke legde het hem uit. Er kwam een douaneman aan om de papieren van de nieuw aangekomen man te inspecteren.

'Kan ik wegrijden?' vroeg Clarke.

'Opschieten jij,' zei de beambte. 'Je hebt hier al genoeg troep gemaakt.'

Voor de tweede maal in vierentwintig uur hees Clarke zich in zijn cabine, zette de motor aan en trapte de koppeling in. Met een armzwaai naar zijn collega schakelde hij over en de vrachtwagen reed de loods uit, het zonlicht in.

Murphy verstelde de verrekijker, toen de truck aan de andere kant van de loods landinwaarts naar buiten kwam.

'Hij is er al doorheen,' zei hij tegen Brendan. 'Geen moeilijkheden. Zie je wel?'

Hij gaf de verrekijker aan Brendan, die naar de top van het heuveltje kronkelde en naar beneden tuurde. 500 meter verderop reed de zware vrachtwagen door de bochten, die hem van de haven naar de weg naar het stadje Rosslare voerden.

'Jawel,' zei hij.

'Daar zitten 750 kisten met de beste Franse cognac in,' zei Murphy. 'Dat is 9000 flessen. Die levert ruim tien pond per fles in de winkel op en daar krijg ik er vier van. Wat dacht je daarvan?'

'Dat is een heleboel drank,' zei Brendan spijtig.

'Dat is een heleboel geld, sufferd,' zei Murphy. 'Vooruit, laten we gaan.'

De twee mannen kropen van hun uitkijkpost af en renden gebukt naar beneden, waar hun auto op een zandweggetje stond.

Toen ze terugreden naar de plek, waar het zandpad op de weg van de haven naar de stad uitkwam, hoefden ze maar een paar seconden te wachten tot chauffeur Clarke voorbij dreunde. Murphy stuurde zijn zwarte gesloten Ford Granada, die twee dagen geleden gestolen en nu met valse nummerborden reed, achter de oplegger aan en begon hem te achtervolgen.

Hij stopte onderweg niet; Clarke wilde proberen thuis te komen. Toen hij over de brug over de rivier de Slaney en ten noorden van Wexford op de weg naar Dublin reed, besloot Murphy, dat hij zijn telefoontje kon plegen.

Hij had die telefooncel al enige tijd geleden gezien en het diafragma van het toestel afgehaald, om te voorkomen dat hij bezet zou zijn als hij er aankwam. Er was niemand, maar iemand, die kennelijk kwaad was geworden om het onbruikbare toestel, had het elektrische snoer eraf getrokken. Murphy vloekte en reed door. Hij vond een andere cel naast een postkantoor ten noorden van Enniscorthy. Toen hij remde, raasde de vrachtwagen voor hem uit het gezicht.

Hij voerde een telefoongesprek naar een andere telefooncel langs de weg ten noorden van Gorey, waar twee andere leden van zijn bende op hem wachtten.

'Waar hing jij in vredesnaam uit?' vroeg Brady. 'Ik zit hier met Keogh al ruim een uur te wachten.'

'Maak je maar geen zorgen,' zei Murphy. 'Hij komt er aan en hij is op tijd. Gaan jullie nu maar in de bosjes in de wegberm zitten en houd je schuil tot hij stopt en eruit springt.'

Hij hing op en reed verder. Met zijn grote snelheid haalde hij de vrachtwagen voor het dorpje Ferns in en bleef achter hem tot hij weer buiten op de open weg was. Voor Camolin wendde hij zich tot Brendan.

'Het is tijd om bewakers van recht en orde te worden,' zei hij en draaide weer van de weg af, nu een smal landweggetje in, dat hij op zijn vorige verkenningstocht ontdekt had. Het was verlaten.

De beide mannen sprongen eruit en pakten een reistas van de achterbank. Ze haalden er hun windjack met ritssluiting uit en haalden twee jasjes uit de tas. De twee mannen droegen reeds zwarte schoenen, sokken en broeken. Nadat de windjacks uit waren getrokken, hadden ze door de politie voorgeschreven blauwe overhemden met zwarte dassen er onder aan. De jasjes die zij aantrokken, maakten het bedrog compleet. Op het jasje van Murphy zaten de drie brigadiersstrepen, dat van Brendan was kaal. Ze hadden allebei het insigne van de Garda, het Ierse politiekorps op.

Twee petten met kleppen uit dezelfde tas zetten ze op hun hoofd. Het laatste wat er in de reistas zat waren twee rollen zwarte gegomde plastic vellen. Murphy rolde ze uit, scheurde de linnen achterkant er af en spreidde er toen een op allebei de voorportieren met zijn handen uit. Het zwarte plastic hechtte zich aan het zwarte lakwerk. Op beide panelen stond in witte letters het woord GARDA. Toen hij zijn auto stal, had Murphy opzettelijk een zwarte Granada uitgezocht, omdat het de meest gangbare patrouillewagen van de politie was.

Uit de afgesloten bagageruimte haalde Brendan het laatste attribuut, een blok van zestig centimeter lang, uitlopend in een driehoek. Aan de onderkant van de driehoek zaten een paar sterke magneten, die het blok stevig op het dak van de auto vasthielden. Op de twee zijkanten, die naar voren en naar achteren waren gericht, stond ook het woord GARDA op de glasplaten geschilderd. Er zat geen gloeilamp in om hem te verlichten, maar dat zou overdag toch geen hond opvallen.

Toen de beide mannen weer in de auto stapten en achterwaarts over het pad terugreden, zou een toevallige voorbijganger niets anders dan patrouillerende verkeerspolitie in hen hebben gezien. Brendan zat nu aan het stuur, met 'brigadier' Murphy naast hem. Ze troffen de vrachtwagen aan toen hij in het plaatsje Gorey voor een verkeerslicht stond te wachten.

Ten noorden van Gorey loopt een nieuw stuk dubbele autoweg tussen dat oude marktplaatsje en Arklow. Ongeveer halverwege is langs de rijbaan naar het noorden een parkeerinham en die plek had Murphy voor zijn hinderlaag uitgekozen. Op het moment, waarop het verkeer dat door de vrachtauto werd opgehouden, op de dubbele rijbaan kwam, haalden de andere automobilisten de vrachtwagen opgelucht in en had Murphy de vrije hand. Hij draaide zijn raampje naar beneden en zei 'Nu' tegen Brendan.

De Granada kwam rustig ter hoogte van de cabine van de vrachtwagen en bleef ernaast rijden. Toen Clarke naar beneden keek zag hij een politieauto naast hem met een brigadier die op de passagiersplaats naar hem zat te wenken. Hij draaide zijn raampje naar beneden.

'Uw achterband is lek,' brulde Murphy boven de wind uit. 'Ga naar de parkeerplaats.'

Clarke keek voor zich uit, zag de grote P op een bordje langs de weg dat een parkeerinham aangaf, knikte en minderde vaart. De politiewagen reed voor hem uit, draaide op de aangeduide plek de parkeerplaats op en stopte. De vrachtwagen volgde en hield achter de Granada stil. Clarke klom naar beneden.

'Het is hier aan de achterkant,' zei Murphy. 'Kom maar mee.'

Clarke volgde hem gehoorzaam om de neus van zijn eigen vrachtwagen en langs de groen met witte zijkant naar achteren. Hij zag helemaal geen lekke band, maar hij kreeg nauwelijks de kans om te kijken. De bosjes weken uit elkaar en Brady en Keogh in overalls en bivakmutsen kwamen eruit gesprongen. Er werd een gehandschoende hand over Clarke's mond, een sterke arm om zijn borst en nog een paar armen om zijn benen geslagen. Als een zak werd hij op de grond gegooid en verdween hij in de bosjes.

Nog geen minuut later was hij van zijn firma-overall met het Tara-insigne op het borstzakje ontdaan, zijn polsen, mond en ogen werden met plakband bewerkt en, door de omvang van zijn eigen vrachtwagen tegen de blikken van passerende automobilisten af-geschermd, werd hij achterin de 'politiewagen' gegooid. Hier zei een barse stem dat hij op de grond moest gaan liggen en zich koest houden, wat hij deed.

Twee minuten later kwam Keogh in de Tara-overall uit de bos-jes te voorschijn en kwam bij Murphy naast het portier van de ca-bine staan, waar de bendeleider het rijbewijs van de ongelukkige Clarke aan het bekijken was.

'Alles is in orde,' zei Murphy. 'Je heet nu Liam Clarke en dit pak papieren zal wel in orde zijn. Ze hebben het toch nog geen twee uur geleden in Rosslare allemaal gecontroleerd?'

Keogh, die voor hij in de gevangenis van Mountjoy zijn tijd had uitgezeten vrachtwagenchauffeur was geweest, gromde iets en klom in de truck. Hij inspecteerde de bedieningsknoppen.

'Geen probleem,' zei hij en stak de bundel papieren weer boven de zonneklep.

'Tot over een uur bij de boerderij,' zei Murphy.

Hij keek de vrachtwagen na, die uit de parkeerhaven wegreed en zich bij de verkeersstroom op de weg naar Dublin in het noor-den aansloot.

Murphy liep terug naar de politieauto. Brady zat achterin met zijn voeten op Clarke, die geblinddoekt op de grond lag. Hij had zich van zijn overall en bivakmuts ontdaan en droeg een tweedjasje. Clarke had het gezicht van Murphy misschien kunnen zien, maar slechts een paar tellen en dan nog met een politiepet op. De gezichten van de andere drie kreeg hij niet te zien, zodat deze, als hij Murphy ooit zou willen vervolgen, hem een waterdicht alibi zouden verschaffen.

Murphy keek links en rechts de weg af. Daar was op dat moment niemand. Hij keek naar Brendan en knikte. De twee mannen trokken de Garda-emblemen van de portieren, rolden ze op en gooiden ze achterin. Hij keek weer uit. Een auto stoof zonder aandacht aan hen te besteden voorbij. Murphy rukte de lichtbak van het dak af en wierp het naar Brady. Opnieuw een blik naar de weg. Weer geen verkeer. De beide uniformjasjes werden uitgetrokken en gingen naar Brady achterin. De windjacks werden aangetrokken. Toen de Granada van de parkeerplaats wegreed was het een gewone personenauto waarin drie burgers te zien waren.

Ze passeerden de vrachtwagen ten noorden van Arklow. Murphy, die weer achter het stuur zat, toeterde heel even met de claxon. Keogh hief een hand op toen de Granada passeerde, met opgestoken duim als teken dat alles in orde was.

Murphy bleef in noordelijke richting doorrijden tot aan Kilmacanogue en sloeg toen de weg in, bekend als Rocky Valley, naar Calary Bog. Daar gebeurt niet erg veel, maar hij had daar ergens op de heide een verlaten boerderij zien staan, waar een handige grote schuur in was, ruim genoeg om ongezien een zware vrachtwagen voor een paar uurtjes in op te bergen. Meer hadden ze niet nodig. De boerderij was te bereiken via een modderig pad en stond verborgen achter een groepje naaldbomen.

Ze kwamen er even voor het invallen van de duisternis aan, vijftig minuten voor de vrachtwagen en twee uur voor de bijeenkomst met de mannen uit het noorden met hun vier bestelwagens.

Murph vond dat hij met recht trots kon zijn op de overeenkomst die hij had afgesloten. Het zou geen gemakkelijk karwei zijn geweest om die 9 000 flessen cognac in het zuiden van de hand te doen. Ze hadden in entrepot gelegen, iedere kist en fles was geteld en zou vroeg of laat zeker aan het licht komen. Maar daar in Ulster, in het door de oorlog geteisterde noorden, was het iets anders. Het wemelde er van illegale kroegjes zonder vergunning, die toch al buiten de wet vielen.

Die stille kroegen waren strikt gescheiden in protestantse en katholieke, waarvan de controle stevig in handen van de onderwereld was, die zelf al lang was overgenomen door al die brave patriotten daarginds. Murphy wist net zo goed als iedereen, dat heel wat van die sectarische moorden, voltrokken voor de glorie van Ierland, meer van doen hadden met de bescherming van afpersingspraktijken dan met vaderlandsliefde.

Hij had dan ook een overeenkomst gesloten met een van de machtigste helden, een grote leverancier aan een hele reeks stille kroegjes, waar de cognac in kleine hoeveelheden kon worden afgezet zonder dat er iets gevraagd werd. Deze man zou met zijn chauffeur bij hem in de boerderij komen, de cognac in de vier bestelauto's laden, ter plekke contant betalen en het spul voor zonsopgang via het doolhof van landweggetjes tussen de meren over de Fermanagh-Monaghan-lijn over de grens naar het noorden vervoeren.

Hij droeg Brendan en Brady op, de ongelukkige chauffeur naar de boerderij te dragen, waar Clarke in de hoek van de haveloze keuken op een stapel zakken werd geworpen. De drie kapers stelden zich in op een wachtpauze. Om zeven uur dreunde de wit met groene vrachtwagen met gedoofde lampen het bijna geheel donkere pad op en het drietal rende naar buiten. Bij het gedempte licht van zaklantaarns trokken ze de oude schuurdeuren open; Keogh reed de vrachtwagen naar binnen en de deuren gingen weer dicht. Keogh klom naar beneden.

'Ik vind dat ik mijn portie wel verdiend heb,' zei hij, 'en een borrel.'

'Je hebt goed werk gedaan,' zei Murphy. 'Je hoeft de truck niet meer te rijden. Hij wordt om middernacht gelost en dan rijd ik hem zelf naar een plek vijftien kilometer hier vandaan, waar ik hem achterlaat. Wat wil je drinken?'

'Wat dacht je van een slok cognac?' opperde Brady en ze lachten allemaal. Het was een goeie grap.

'Ik ga geen kist aanbreken voor een paar glaasjes,' zei Murphy, 'al ben ik zelf gek op whisky. Is dit ook goed?'

Hij haalde een heupflesje uit zijn zak en ze waren het er allemaal over eens dat het prima was. Om kwart voor acht was het stikdonker en Murphy liep met een zaklantaarn naar het eind van het pad, om de mannen uit het noorden bij te lichten. Hij had wel precies de weg uitgeduid, maar ze konden toch het paadje over het hoofd zien. Om tien minuten over acht kwam hij terug, een convooi van vier dichte bestelwagens de weg wijzend. Toen ze op het erf stilhielden, stapte een grote man van de voorbank van de eerste auto. Hij had een diplomatenkoffertje bij zich, maar geen zichtbaar gevoel voor humor.

'Murphy?' zei hij. Murphy knikte. 'Heb je het spul?'

'Kersvers van de boot uit Frankrijk,' zei Murphy. 'Het zit nog in de vrachtwagen, in de schuur.'

'Als je de vrachtwagen hebt opengebroken, wil ik alle kisten stuk voor stuk nakijken,' dreigde de man. Murphy slikte. Hij was blij, dat hij de verleiding om zijn buit te onderzoeken had weerstaan.

'De Franse douanezegels zijn intact,' zei hij. 'U kunt het zelf inspecteren.'

De man uit het noorden bromde iets en knikte tegen zijn helpers, die de schuurdeuren begonnen open te sjorren. Hun zaklantaarns beschenen de dubbele sloten op de achterdeuren, die de lading beschermden, met de douaneverzegeling onbeschadigd nog op de sloten. De man uit Ulster bromde weer iets en knikte tevreden. Een van zijn mannen pakte een breekijzer en liep op de sloten af. De man uit het noorden gaf een rukje met zijn hoofd.

'Ga mee naar binnen,' zei hij. Murphy ging hem met de lantaarn in de hand voor naar wat de woonkamer van de oude boerderij was geweest. De man uit het noorden knipte zijn diplomatenkoffertje open, legde het op de tafel en deed het deksel open. Rijen bundeltjes bankpapier vertoonden zich aan Murphy's verbaasde blikken. Hij had nog nooit zoveel geld gezien.

'9 000 flessen tegen vier pond per fles,' zei hij, 'dat is dan 36 000 pond, niet?'

'Vijfendertig,' bromde de noorderling. 'Ik houd van ronde getallen.'

Murphy sprak hem niet tegen. Hij had de indruk van deze man, dat dit niet verstandig zou zijn. Hij was in ieder geval voldaan. Na betaling van £ 3 000 aan ieder van zijn mensen en vergoeding van zijn onkosten, zou hij schoon ruim £ 20 000 overhouden. 'Akkoord,' zei hij.

Een van de andere noorderlingen verscheen voor het kapotte raam. Hij richtte het woord tot zijn baas.

'Kunt u even komen kijken,' was het enige dat hij zei.

Toen was hij weg. De grote man knipte het koffertje dicht, pakte het handvat beet en beende naar buiten. De vier mannen uit Ulster stonden samen met Keogh, Brady en Brendan om de geopende deuren van de vrachtwagen in de schuur heen. Zes zaklantaarns verlichtten de ruimte daarbinnen. In plaats van netjes op elkaar gestapelde kisten met daarop de naam van de wereldberoemde naam van de cognacfabrikant, keken ze naar heel iets anders.

Er lagen rijen opgestapelde plastic zakken met op iedere zak de naam van een bekende fabrikant van tuinbenodigdheden en onder die naam stond het woordje 'Rozenmest'. De man uit het noorden staarde naar de lading zonder een spier te vertrekken.

'Wat heeft dit in godsnaam te betekenen?' zei hij schor.

Murphy trok zijn onderkaak op die ergens tot onder aan zijn strot was gezakt. 'Ik weet het niet,' piepte hij. 'Ik zweer je dat ik het niet weet.'

Hij sprak de waarheid. Zijn inlichtingen waren feilloos – en duur – geweest. Hij had het juiste schip en de juiste vervoerder opgekregen. Hij wist, dat er die middag maar één zo'n vrachtwagen met de *St. Patrick* was aangekomen.

'Waar is de chauffeur?' snauwde de grote man.

'Binnen,' zei Murphy.

'Kom mee,' zei de grote man. Murphy ging voorop. De ongelukkige Clarke lag nog steeds als een opgebonden kip op zijn zakken.

'Wat heb je daar verdomme voor een lading?' vroeg de grote man zonder plichtplegingen.

Clarke mompelde verwoed iets van onder zijn prop. De grote man gaf een knikje tegen een van zijn handlangers, die een stap naar voren deed en weinig zachtzinnig de pleister van Clarke's mond af trok. De chauffeur had nog een strook over zijn ogen.

'Ik zei, wat heb je daar verdomme voor een lading,' herhaalde de grote man. Clarke slikte.

'Rozenmest,' zei hij. 'Dat staat toch ook op de vrachtbrief?'

De grote man liet zijn lantaarn over de bundel papieren schijnen, die hij van Murphy had afgepakt. Hij bleef bij de vrachtbrief steken en duwde hem onder de neus van Murphy.

'Heb je hier dan niet naar gekeken, sufferd?' vroeg hij.

Murphy reageerde zijn toenemende paniek af op de chauffeur.

'Waarom heb je mij dat niet gezegd?' wilde hij weten.

Van pure woede werd Clarke brutaal tegen zijn vervolgers, die hij niet kon zien. 'Omdat mijn mond verdomme was dichtgeplakt, daarom,' schreeuwde hij terug.

'Dat is zo, Murphy,' zei Brendan, die nogal nuchter was.

'Hou je mond,' zei Murphy, die wanhopig begon te worden. Hij boog zich over naar Clarke. 'Zit er dan geen cognac onder?' vroeg hij.

Clarke's gezicht verried zijn opperste onschuld. 'Cognac?' echode hij. 'Waarom zou er cognac in zitten? In België maken ze geen cognac.'

'België?' gilde Murphy. 'Je bent toch uit Cognac in Frankrijk naar Le Havre gereden?'

'Ik ben nog nooit van mijn leven in Cognac geweest,' schreeuwde Clarke. 'Ik was op weg met een lading rozenmest, dat wordt gemaakt van veenmos en gedroogde koemest. Die exporteren wij van Ierland naar België. Vorige week heb ik die vracht ingeladen. Ze hebben hem in Antwerpen opengemaakt en onderzocht en toen zeiden ze dat het beneden de norm was en dat ze het niet wilden accepteren. Mijn bazen in Dublin hebben gezegd, dat ik de boel maar mee terug moest nemen. Het heeft me drie dagen oponthoud in Antwerpen gekost om de hele administratieve rompslomp in orde te maken. Het staat toch allemaal in die papieren, daar.'

De man uit het noorden had zijn lantaarn over de papieren die hij in zijn hand hield laten schijnen. Deze bevestigden het verhaal van Clarke. Hij wierp ze met een snauw van afkeer op de vloer.

'Kom mee,' zei hij tegen Murphy en ging hem voor naar buiten. Murphy volgde hem, zijn onschuld betuigend.

Op het donkere erf onderbrak de grote man de argumenten die Murphy aanvoerde. Hij zette zijn diplomatenkoffertje neer, draaide zich om, greep Murphy bij de voorkant van zijn windjack, tilde hem van de grond en kwakte hem tegen de deur van de schuur.

'Nou moet je eens goed naar me luisteren, katholieke klootzak dat je bent,' zei de grote man.

Murphy had zich al afgevraagd, met welke partij van de profiteurs uit Ulster hij te maken had, maar nu wist hij het.

'Jij,' zei de grote man op een fluistertoon, die Murphy's bloed deed stollen, 'hebt een lading koeiestront gekaapt – letterlijk. Je hebt ook een hele hoop van mijn tijd verknoeid en de tijd van mijn mensen en mijn geld . . .'

'Ik zweer het je . . .' hijgde Murphy, die last met zijn ademha-
ling begon te krijgen, 'bij het graf van mijn moeder . . . het moet
op het volgende schip zitten, dat morgenmiddag om twee uur aan-
komt. Ik kan opnieuw beginnen . . .'

'Niet voor mij,' fluisterde de kerel, 'die handel gaat niet door.
En onthou goed: als je ooit probeert me nog eens zo'n streek te
leveren, zal ik een paar van mijn jongens sturen om je knieschij-
ven recht te zetten, begrepen?'

Lieve Jezus, dacht Murphy, wat een beesten, die noorderlingen.
De Engelsen konden ze cadeau krijgen. Hij wist dat het levensge-
vaarlijk was die gedachte te verwoorden. Hij knikte. Vijf minuten
later was de man uit het noorden met zijn vier lege bestelwagens
verdwenen.

In de boerderij dronken Murphy en zijn troosteloze makkers bij
het licht van een zaklantaarn een fles whisky leeg.

'Wat doen we nu?' vroeg Brady.

'Nou, alle bewijzen opruimen,' zei Murphy. 'We hebben niets
gewonnen, maar we hebben ook niets verloren, behalve ik.'

'En onze 3 000 pond dan?' vroeg Keogh.

Murphy dacht na. Hij voelde er niets voor om een nieuwe serie
bedreigingen naar zijn hoofd te krijgen van zijn eigen mensen, na
de schrik van de man uit Ulster die hem nog in de benen zat.

'Dat moet 1 500 de man worden, jongens,' zei hij. 'En jullie zullen even moeten wachten tot ik het verdiend heb, want ik ben zelf
alles kwijtgeraakt met dit zaakje.'

Ze legden zich erbij neer, zij het niet van harte.

'Brendan, jij moet met Brady en Keogh de boel hier maar gaan
opruimen. Ieder spoortje van bewijs, iedere voetafdruk en ban-
denspoor in de modder moeten uitgewist worden. Als je klaar
bent, neem je zijn wagen en gooit de chauffeur maar ergens onderweg naar het zuiden op zijn sokken aan de kant van de weg. Met
pleisters op zijn mond, ogen en polsen, duurt het nog wel even
voor hij alarm kan slaan. Dan draai je om naar het noorden en
rijdt naar huis.'

'Ik houd mij aan mijn woord, Keogh. Ik neem de truck en zal
hem ergens in de bergen in de richting van Kippure achterlaten.
Dan ga ik terug lopen en kan op de grote weg naar Dublin misschien wel een lift krijgen. Akkoord?'

Ze gingen akkoord. Ze hadden geen keus. De mannen uit het noorden hadden de sloten aan de achterkant van de oplegger grondig kapot geslagen en de bendeleden gingen op zoek naar houten pennen om de twee beugels vast te zetten. Toen deden ze de deuren op de teleurstellende lading dicht en maakten ze vast. Met Murphy aan het stuur dreunde de vrachtwagen weer over het pad van de boerderij en draaide linksaf naar het Djouce Forest en de bergen van Wicklow.

Het was over half tien en Murphy was het bos aan de Round-woodweg gepasseerd toen hij die trekker tegenkwam. Je zou denken dat boeren niet op trekkers reden met één koplamp die het niet deed en de andere besmeurd met modder en die een oplegger beladen met tien ton strobalen trok. Maar deze wel.

Murphy reed hotsend tussen twee stenen muurtjes, toen hij voor zich de omvang van een trekker met aanhanger zag opdoemen, die van de andere kant kwam. Hij trapte nogal hard op de remmen.

Het voordeel van een opleggercombinatie is, dat ze wel om bochten kunnen manoeuvreren, waar een vrachtauto met een vast chassis niet aan kan tippen, maar als ze moeten remmen is het een hopeloze zaak. Als het voorste gedeelte dat trekt en het opleggers-gedeelte waar de vracht op rust niet ongeveer in een lijn zijn, heb-ben ze de neiging te gaan scharen. De zware oplegger probeert de cabine in te halen en schuift hem zodoende opzij zodat hij gaat slippen. Dit nu overkwam Murphy.

Het was aan de stenen muurtjes te danken, die in die bergen van Wicklow zoveel voorkomen, dat hij niet helemaal omsloeg.

De boer schoot met zijn trekker recht door een hek dat daar toevallig openstond en liet de strobalen op de aanhanger de eventuele schok opvangen. Murphy's cabine-gedeelte begon te slippen toen de oplegger hem inhaalde. De lading rozenmest stuwde hem, met in paniek ingetrapte remmen, in de zijkant van de strobalen, die uitbundig over zijn hele cabine heentuimelden en hem bijna bedolven. De achterkant van de oplegger achter hem bonkte tegen een stenen muurtje en werd op de weg teruggeworpen, waar hij vervolgens ook het tegenover liggende muurtje raakte.

Toen het krassende geluid van metaal op steen was verstomd, stond de aanhanger van de boer nog overeind, maar hij was drie meter verschoven, doordat hij van de trekker losgekoppeld was geraakt. Door de schok was de boer van zijn krukje in een stapel kuilvoer gevallen. Hij voerde een luidruchtig privé-gesprek met zijn schepper. Murphy zat in de schemering van een door strobalen overdekte cabine.

Door de schok van de klap tegen de stenen muurtjes waren de pennen waar de achterdeuren van de oplegger mee waren vastgemaakt verschoven en de beide deuren waren opengevlogen. Een gedeelte van de lading rozenmest lag achter de vrachtwagen over de weg verspreid. Murphy deed het portier van de cabine open en worstelde zich door de strobalen heen naar de weg. Hij had maar één gedachte en dat was te maken dat hij zo snel mogelijk zo ver mogelijk daar vandaan kwam. De boer zou hem in het donker nooit herkennen. Reeds onder het uitstappen viel het hem in, dat hij geen tijd had gehad de vingerafdrukken uit de binnenkant van de cabine te verwijderen.

De boer was uit de modderige voerkuil geklauterd en stond op de weg naast Murphy's cabine, stinkend naar een lucht, die bij de aftershave-industrie nooit aftrek zal vinden. Het was duidelijk dat hij Murphy enkele ogenblikken wenste te spreken. Murphy dacht snel na. Hij zou de boer mild stemmen door hem aan te bieden zijn trekker te helpen opladen. Bij de eerste gelegenheid zou hij zijn vingerafdrukken van de binnenkant van de cabine afwissen en bij de volgende in de duisternis verdwijnen.

Op dat moment kwam de patrouillewagen van de politie aanrijden. Het is met politieauto's een eigenaardig geval: als je er een nodig hebt zijn ze zo schaars als aardbeien in Groenland, maar schraap een paar centimeter lak van iemands carrosserie en ze komen als paddestoelen uit de grond. Deze had een predikant uit Dublin naar zijn huis bij Annamoe begeleid en keerde naar de hoofdstad terug. Toen Murphy de koplampen zag, dacht hij dat het gewoon een andere automobilist was, maar toen de lichten gedempt waren zag hij dat het een echte was. Er zat een Gardabordje op het dak en dit was wel verlicht.

De brigadier en de agent liepen langzaam langs de stilstaande oplegger van de trekker en inspecteerden de afgevallen balen. Murphy begreep dat er niets anders opzat, dan zich er brutaal doorheen te slaan. In het donker kon hij zich er wel uitkletsen.

'Van u?' vroeg de brigadier, met een hoofdbeweging naar de vrachtwagen.

'Ja,' zei Murphy.

'Een heel eind van de hoofdwegen,' zei de brigadier.

'Ja, en laat ook,' zei Murphy. 'De veerboot kwam vanmiddag te laat in Rosslare en ik wilde dit zaakje afleveren en dan naar huis en mijn bedje.'

'Papieren,' zei de brigadier.

Murphy stak zijn hand in de cabine en overhandigde hem het bundeltje documenten van Liam Clarke.

'Liam Clarke?' vroeg de brigadier.

Murphy knikte. De documenten waren dik in orde. De agent was een kijkje gaan nemen naar de trekker en kwam bij de brigadier terug.

'De ene koplamp van deze man doet het niet,' zei hij met een knikje naar de boer, 'en de andere zit onder de klei. Je zou dit spulletje nog van geen tien meter afstand zien.'

De brigadier gaf de documenten aan Murphy terug en verlegde zijn aandacht naar de boer. Deze, enkele ogenblikken geleden nog een en al zelfrechtvaardiging, begon een verdedigende houding aan te nemen. Murphy werd wat opgewekter.

'Ik wil er geen drukte over maken,' zei hij, 'maar de Garda heeft wel gelijk. De trekker en aanhanger waren absoluut onzichtbaar.'

'Heb je je rijbewijs?' vroeg de brigadier aan de boer.

'Dat ligt thuis,' zei de boer.

'En de verzekeringspapieren liggen er zeker ook bij,' zei de brigadier. 'Ik hoop dat ze allebei in orde zijn. Dat zien we dadelijk wel. Intussen kun je niet met die onbruikbare koplampen doorrijden. Zet die oplegger maar in de wei en ruim de balen van de weg af, dan kun je ze zodra het morgenochtend licht is ophalen. Wij brengen je wel thuis en kijken meteen naar de papieren.'

Murphy werd hoe langer hoe opgewekter. Over een paar minuten zouden ze weg zijn. De agent begon de lichten van de vrachtwagen te controleren. Er mankeerde niets aan. Hij liep weg om naar de achterlichten te kijken.

'Wat is uw lading?' vroeg de brigadier.

'Plantenmest,' zei Murphy. 'Voor een deel veenmos, voor een deel koeienmest. Goed voor de rozen.'

De brigadier barstte in lachen uit. Hij wendde zich tot de boer, die de trekker van de weg af het veld had ingeduwd en bezig was de balen er achter aan te gooien. De weg was bijna leeg.

'Die man vervoert een lading mest,' zei hij, 'maar jij staat er tot aan je nek toe in.' Hij lachte om zijn eigen grapje.

De agent kwam terug van de achterkant van de oplegger van de vrachtwagen. 'De deuren zijn opengesprongen,' zei hij. 'Er zijn een paar zakken uitgevallen en opengescheurd. U kunt beter even komen kijken, denk ik, brigadier.'

Ze liepen met zijn drieën langs de zijkant van de vrachtwagen naar de achterkant.

Er waren een stuk of twaalf zakken uit de geopende deuren aan de achterkant gevallen en vier waren er opengebarsten. Het maanlicht scheen op de bruine hopen mest tussen het gescheurde plastic. De brigadier had zijn zaklantaarn tevoorschijn gehaald en liet hem over de troep glijden. Zoals Murphy later tegen zijn celgenoot zei, zijn er van die dagen, waarop alles, maar dan ook alles misgaat.

Bij het licht van maan en lantaarn was er geen vergissing mogelijk en kon men duidelijk de grote bek van de bazoeka omhoog zien steken of de vormen van de machinegeweren die uit de gescheurde zakken staken onderscheiden. Murphy voelde zijn maag omdraaien.

De Ierse politie draagt normaal geen handwapens, maar wel als zij tot taak heeft een predikant te begeleiden. Het automatisch pistool van de brigadier was op Murphy's buik gericht. Murphy zuchtte. Het was nu eenmaal zo'n dag. Het was niet alleen glansrijk mislukt om 9 000 flessen cognac te kapen, maar hij had ook nog kans gezien iemands clandestiene wapenzending te onderscheppen en hij had weinig twijfels, wie die 'iemand' zou kunnen zijn. Hij kon allerlei plaatsen bedenken, waar hij de komende twee jaar zou willen zijn, maar de straten van Dublin waren op dat lijstje niet de veiligste plekken.

Hij hief langzaam zijn handen omhoog.

'Ik moet een kleinigheidje opbiechten,' zei hij.

Onschendbaar

De telefoon rinkelde om half negen en omdat het zondagmorgen was, lag Bill Chadwick nog in bed. Hij deed zijn best om het te negeren, maar de telefoon bleef maar doorrinkelen. Nadat hij tien maal was overgegaan, sleepte Bill zich uit bed en liep de trap af naar de gang.

'Ja?'

'Hallo, Bill? Met Henry.'

Het was Henry Carpenter van een paar huizen verder, iemand die hij oppervlakkig kende, maar niet mee omging.

'Goedemorgen, Henry,' zei Chadwick, 'slaap jij op zondagmorgen niet uit?'

'Nou, nee,' zei de stem. 'Ik ga namelijk in het park joggen.'

Chadwick kreunde. Echt iets voor hem, dacht hij. Het uitsloverige type. Hij geeuwde.

'Wat kan ik voor je doen, op dit uur van een winterse dag?' vroeg hij. Carpenter, aan de andere kant van de lijn, leek te schromen.

'Heb je de ochtendbladen al ingekeken?' vroeg Carpenter. Chadwick wierp een blik naar de gangmat, waar zijn twee kranten ongeopend lagen.

'Nee,' zei hij. 'Hoezo?'

'Ben je op de *Sunday Courier* geabonneerd?' vroeg Carpenter.

'Nee,' zei Chadwick. Er was een lange pauze.

'Je zou hem vandaag eigenlijk even moeten lezen,' zei Carpenter. 'Er staat iets over jou in.'

'O, ja,' zei Chadwick, geïnteresseerd nu. 'Wat staat er dan in?'

Carpenter was nog beschroomder. Zijn onzekerheid klonk duidelijk in de toon van zijn stem. Hij dacht kennelijk dat Chadwick het artikel wel gezien zou hebben en er met hem over had kunnen praten.

'Nou, je kunt het beter zelf even lezen, kerel,' zei Carpenter en legde de hoorn neer. Chadwick keek naar de zoemende telefoon en hing hem op. Zoals iedereen die hoort, dat hij in een kranteartikel wordt genoemd dat hij nog niet gezien heeft, was hij nieuwsgierig.

Hij ging terug naar de slaapkamer met de *Express* en de *Tele-graph*, die hij aan zijn vrouw overhandigde en begon een broek en een coltrui over zijn pyjama aan te trekken.

'Waar ga je naar toe?' vroeg zijn vrouw.

'Even naar de hoek om nog een krant te halen,' zei hij. 'Henry Carpenter zegt, dat er iets over mij instaat.'

'Ha, eindelijk beroemd,' zei zijn vrouw. 'Ik ga het ontbijt klaar-maken.'

De krantenkiosk op de hoek had nog twee exemplaren van de *Sunday Courier*, een dikke krant met een heleboel bijlagen, die naar de mening van Chadwick door snobs werd geschreven voor snobs. Omdat het koud was op straat, zag hij er maar van af ter plekke al die verschillende gedeelten van de krant door te snuffe-len; hij wilde zijn nieuwsgierigheid liever nog even bedwingen om ze in de behaaglijke warmte van zijn eigen huis door te kijken. Toen hij terug was, had zijn vrouw reeds het sinaasappelsap en de koffie op de keukentafel gezet.

Hij ontdekte, toen hij de krant begon te lezen, dat Carpenter hem niet het paginanummer had opgegeven, en hij begon dan ook maar met het algemene nieuws. Tegen zijn tweede kopje koffie was hij daarmee klaar, had hij het gedeelte kunst- en cultuur weg-gegooid en ook het sportgedeelte opzij gelegd. Daarna bleef het kleurensupplement en het zakennieuws over. Als zelfstandige klei-ne ondernemer in de buitenwijken van Londen begon hij met het zakennieuws.

Op de derde pagina viel zijn oog op een naam; niet van hem zelf, maar van een firma die kort geleden over de kop was gegaan en waarmee hij een korte zakenrelatie had gehad, die zoals later bleek hem duur te staan was gekomen. Het artikel stond in een kolom die zich liet voorstaan op het kritisch doorlichten van be-paalde transacties.

Onder het lezen van het stuk zette hij zijn koffie neer en zijn mond viel open.

'Zulke dingen kan hij niet over me zeggen,' fluisterde hij. 'Het is gewoon niet waar.'

'Wat is er, lieverd?' vroeg zijn vrouw. Ze was duidelijk ongerust over de hevig verschrikte uitdrukking op het gezicht van haar man. Zonder iets te zeggen gaf hij de krant aan haar, zo gevouwen dat zij het artikel niet over het hoofd kon zien. Ze las het aandachtig.

Ze maakte even een geluid van afschuw, toen ze op de helft was gekomen.

'Dat is vreselijk,' zei ze, toen ze het uit had. 'Deze man insinueert dat je iets met een geval van oplichting te maken hebt gehad.'

Bill Chadwick was opgestaan en ijsbeerde door de keuken.

'Dat insinueeert hij niet,' zei hij; zijn schrik had nu plaats gemaakt voor kwaadheid. 'Hij zégt het verdomme gewoon. De conclusie is onwrikbaar. Ik was nota bene een slachtoffer van die lui, geen compagnon die op de hoogte was. Ik heb in goed vertrouwen hun produkten verkocht. Hun instorting heeft mij net zo gedupeerd als iedereen.'

'Kan dit schadelijk voor je zijn, lieverd?' vroeg zijn vrouw met een zorgelijk gezicht.

'Schadelijk? Het kan me verdomme kapot maken. En het is gewoon niet waar. Ik heb die man die dit geschreven heeft zelfs nog nooit gezien. Hoe heet hij?'

'Gaylord Brent,' zei zijn vrouw, de naamsvermelding die boven het artikel stond voorlezend.

'Maar ik heb hem nog nooit ontmoet. Hij heeft niet eens de moeite genomen contact met mij te zoeken om de feiten na te gaan. Hij kan zulke dingen gewoon niet over me zeggen.'

Hij gebruikte dezelfde woorden, toen hij 's maandagsmiddags een vertrouwelijk onderhoud met zijn advocaat had. De advocaat had uiting gegeven aan zijn onvermijdelijke afkeer over wat hij gelezen had en luisterde vol begrip naar de verklaring van Chadwick over wat er werkelijk gebeurd was in de kwestie van zijn samenwerking met de nu opgeheven handelsgoederenfirma.

'Op grond van wat u zegt lijkt mij er geen twijfel te bestaan, dat er in dit artikel smaad tegen u is geuit,' zei hij.

'Dan zullen ze het als de donder moeten intrekken en hun verontschuldiging aanbieden,' zei Chadwick driftig.

'In principe wel, ja,' zei de advocaat. 'Het zou misschien raadzaam zijn, als ik als eerste stap uit uw naam naar de redacteur van de krant een brief schrijf, waarin ik uiteenzet dat u door de werknemer van de redactie beledigd bent en genoegdoening verlangt in de vorm van een rectificatie en een verontschuldiging, op een goede opvallende plaats natuurlijk.'

Dit vond uiteindelijk plaats. Twee weken lang kwam er geen

antwoord van de redactie van de *Sunday Courier* en twee weken lang moest Chadwick de starende blikken van zijn kleine staf personeel verduren en moest hij waar mogelijk andere zakenrelaties ontlopen. Twee contracten die hij gehoopt had in de wacht te slepen, gingen aan zijn neus voorbij.

De brief van de *Sunday Courier* kwam eindelijk in bezit van de advocaat. Hij was namens de redacteur ondertekend door een secretaresse en de toon was beleefd geringschattend.

De redacteur, zo stond erin, had de brief van de advocaat ten behoeve van de heer Chadwick zorgvuldig bestudeerd en was bereid publikatie van een brief van de heer Chadwick in de rubriek ingezonden brieven te overwegen, natuurlijk rekening houdend met het onverkorte recht van de redacteur om in de brief te schrappen.

'Met andere woorden, er blijft niets van over,' zei Chadwick, toen hij weer tegenover zijn raadsman zat. 'Dit is toch zeker een vierkante weigering?'

De advocaat dacht erover na en hij besloot open kaart te spelen. Hij kende zijn cliënt al langer dan vandaag.

'Ja,' zei hij, 'dat is zo. Ik heb nog maar een keer eerder met een landelijk nieuwsblad een dergelijke kwestie gehad, maar dit is wel een typisch standaardantwoord. Ze hebben er een hekel aan een herroeping te publiceren, laat staan een verontschuldiging.'

'Wat kan ik dan doen?' vroeg Chadwick.

De advocaat deed een voorstel. 'Er is ook nog zoiets als een Persraad,' zei hij. 'Daar zou u een klacht kunnen indienen.'

'Wat zouden ze dan doen?'

'Niet zo veel. Ze zijn geneigd alleen op aantijgingen tegen kranten in te gaan, waar aangetoond kan worden dat onnodig leed is berokkend als gevolg van onzorgvuldigheid door de krant in zijn publikatie of duidelijke slordigheid van de kant van de verslaggever van de krant. Ze zijn ook geneigd klachten over duidelijke laster te omzeilen en die aan de rechtbanken over te laten. In ieder geval kunnen ze alleen maar een berisping uitdelen, meer niet.'

'Kan de Persraad niet aandringen op herroeping en verontschuldiging?'

'Nee.'

'Wat blijft er dan over?'

De advocaat zuchtte. 'Het enige wat overblijft is procederen wegens smaad met eis tot schadevergoeding. Er is altijd nog kans, als er werkelijk een dagvaarding wordt uitgestuurd, dat de krant niet wenst te procederen en alsnog besluit de verontschuldiging waar u om vraagt te publiceren.'

'Zouden ze dat doen?'

'Misschien wel; maar misschien ook niet.'

'Maar dat moeten ze toch wel doen. Het is een doodeenvoudige zaak.'

'Laat ik heel eerlijk tegen u zijn,' zei de advocaat, 'in kwesties van smaad bestaat er niet zoiets als een eenvoudige zaak. Om te beginnen is er eigenlijk geen lasterwet. Of liever gezegd, valt het onder het gewoonterecht, een hele verzameling gerechtelijke uitspraken die gedurende eeuwen zijn gedaan. Deze uitspraken kunnen voor verschillende uitleg vatbaar zijn en uw geval, of ieder ander geval, zal in een of ander detail van de vorige verschillen.

Ten tweede redeneert men over een bewustzijnstoestand van uw kant, een geestestoestand, van wat iemand op een bepaald moment in gedachten had, het bestaan van een zekere kennis en dus van bedoeling, tegenover onwetendheid en dus ook van onschuld in bedoeling. Kunt u me volgen?'

'Ik geloof het wel, ja,' zei Chadwick. 'Maar ik hoef mijn onschuld toch niet te bewijzen?'

'In feite wel, ja,' zei de advocaat. 'Kijk, u bent de aanklager en de krant, de rcdacteur en meneer Gaylord Brent, zijn de gedaagden. U zou moeten bewijzen dat u zich absoluut niet bewust was van de onbetrouwbaarheid van de nu opgeheven firma, toen u er relaties mee onderhield; alleen dan zou zijn aangetoond dat u belasterd was door de suggestie, dat u er medeschuldig aan was.'

'Adviseert u me dan niet te vervolgen?' vroeg Chadwick. 'Stelt u serieus voor, dat ik het maar moet slikken om door iemand op een stelletje leugens getracteerd te worden van iemand, die nog niet eens de moeite genomen heeft om voor publikatie de feiten te controleren; dat ik zelfs maar rustig moet accepteren dat mijn zaak naar de knoppen gaat, zonder te klagen?'

'Meneer Chadwick, laat ik eerlijk tegen u zijn. Er wordt van ons, advocaten, wel eens beweerd, dat wij onze cliënten aanmoedigen maar links en rechts te procederen, omdat een dergelijke actie ons kennelijk in staat stelt grote honoraria op te strijken. In werkelijkheid is het meestal precies andersom en zijn het gewoonlijk de vrienden, de vrouw en de collega's enzovoort van de gewraakte partij, die erop aandringen dat hij een aanklacht indient. Zij hoeven vanzelfsprekend niet voor de kosten op te draaien. Voor de buitenstaander is een goede rechtszaak alleen maar brood en spelen. Wij, juristen, zijn maar al te goed op de hoogte van de kosten van procederen.'

Chadwick dacht na over de kosten van rechtvaardigheid, iets waar hij zich voordien zelden het hoofd over gebroken had.

'Hoe hoog kunnen die oplopen?' vroeg hij rustig.

'Ze kunnen u ruïneren,' zei de advocaat.

'Ik dacht dat alle mensen in dit land gelijke toegang tot het recht hadden,' zei Chadwick.

'In theorie wel, ja. De praktijk is dikwijls heel anders,' zei de advocaat. 'Bent u een rijk man, meneer Chadwick?'

'Nee, ik heb een klein bedrijf. Tegenwoordig betekent dat voortdurend op de rand van liquiditeit balanceren. Ik heb mijn hele leven hard gewerkt en ik kan het net redden. Ik bezit mijn eigen huis, mijn eigen wagen, mijn kleren. Ik heb een pensioenregeling voor zelfstandigen, een levensverzekeringspolis en een paar duizend spaargeld. Ik ben maar een gewoon, onopvallend mannetje.'

'Dat bedoel ik nou,' zei de advocaat. 'Tegenwoordig kunnen alleen rijke mensen tegen andere rijke mensen procederen en dat geldt in het bijzonder op het terrein van smaad, waar iemand zijn zaak wel kan winnen, maar zijn eigen onkosten moet betalen. Na een lang proces, om nog maar niet te spreken over hoger beroep, kunnen die wel tien maal de toegewezen schadevergoeding bedragen.

Grote dagbladen hebben evenals grote uitgeverijen en anderen hoge verzekeringen afgesloten voor schadevergoedingen in geval van smaad. Zij kunnen de eersteklas advocaten van West End, die de duurste juristen zijn, in dienst nemen. Daarom zullen ze, als ze geconfronteerd worden met – vergeef me de uitdrukking – een kleine man, geneigd zijn hem te overbluffen. Met een beetje handigheid kan een proces vanaf de komst voor het gerecht wel tot vijf jaar worden gerekt; in die tijd lopen de kosten van het proces voor beide partijen voortdurend op. De voorbereiding van de zaak kan alleen al tot in de duizenden lopen. Als de zaak vóórkomt, vliegen de kosten in duizelingwekkende vaart omhoog als de advocaten een honorarium en een dagelijkse onkostenvergoeding krijgen. En dan heeft de advocaat ook meestal nog een junior bij zich.

'Hoe hoog zouden die kosten kunnen oplopen?' vroeg Chadwick.

'Voor een lang lopend proces met jarenlange voorbereiding zouden die, zelfs met uitsluiting van eventueel hoger beroep, enige tienduizenden ponden bedragen,' zei de advocaat. 'En daarmee is het dan nog niet eens afgelopen.'

'Wat moet ik nog meer weten?' vroeg Chadwick.

'Als u zou winnen en schadevergoeding en onkosten toegewezen kreeg tegen de gedaagde, in dit geval de krant, dan ontvangt u de schadevergoeding. Maar als de rechter geen opdracht geeft ten aanzien van de onkosten, wat ze alleen in het ergste geval geneigd zijn te doen, dan zou u uw eigen onkosten moeten dragen. In het geval dat u verloor, zou de rechter u zelfs tot de onkosten van de gedaagde tegen u kunnen veroordelen, boven uw eigen onkosten. Zelfs als u zou winnen, kan de krant in hoger beroep gaan. Hiervoor kunt u de daarmee gemoeide onkosten wel verdubbelen. Ook in het geval dat u in hoger beroep zou winnen, zou u, indien de rechter u geen betaling van de kosten toekent, geruïneerd zijn.

Daarbij komt het gooien met modder. Na twee jaar zijn de mensen het oorspronkelijke kranteartikel toch al lang vergeten. In het proces wordt alles weer opgerakeld met nog een heleboel ander materiaal en verklaringen. Hoewel u de eisende partij bent, heeft de verdediging van de krant tot taak uw reputatie als eerlijk zakenman kapot te maken, in het belang van zijn cliënten. Als je maar genoeg modder gooit, blijft er altijd wel iets van hangen. Er zijn mensen geweest, te veel om op te noemen, die hun zaak gewonnen hebben en er met een grote smet op hun reputatie van af zijn gekomen. Bij het gerecht kunnen alle beweringen openlijk gepubliceerd worden, zonder dat ze bewezen hoeven te worden.'

'Hoe staat het met rechtskundige hulp,' vroeg Chadwick. Zoals de meeste mensen had hij er wel van gehoord, maar zich er nooit in verdiept.

'Waarschijnlijk anders dan u denkt,' zei de advocaat. 'Om daarvoor in aanmerking te komen, moet u aantonen dat u geen vermogen bezit. Dat is op u niet van toepassing. Voor u dat krijgt, zouden eerst uw huis, auto en spaargeld opgesoupeerd moeten zijn.'

'Dus ik zou in beide gevallen geruïneerd zijn,' zei Chadwick.

'Ik vind het werkelijk bijzonder vervelend voor u. Ik kan u wel aanraden een langdurige, kostbare rechtszaak te beginnen, maar ik vind oprecht dat de beste dienst die ik u kan bewijzen is, u op de gevaren en valkuilen zoals ze werkelijk zijn attent te maken. Er zijn een heleboel mensen die heet van de naald een proces zijn begonnen en er later bitter berouw van hebben gekregen. Sommigen zijn zelfs de jaren van spanning en de geldzorgen nooit te boven gekomen.'

Chadwick stond op. 'U bent heel eerlijk geweest en daarvoor dank ik u,' zei hij.

Diezelfde dag belde hij later van zijn kantoor de *Sunday Courier* op en vroeg de redacteur te spreken. Hij kreeg een secretaresse aan de lijn. In antwoord op haar verzoek gaf hij zijn naam op.

'Waar wilt u met meneer Buxton over spreken?' vroeg ze.

'Ik wil graag een afspraak met hem persoonlijk maken,' zei Chadwick.

Er was even een pauze aan de lijn en hij hoorde, dat er een huistelefoon gebruikt werd. Even later was ze weer terug.

'In verband waarmee wenst u meneer Buxton te spreken?' vroeg ze.

Chadwick legde in een paar zinnen uit, dat hij de redacteur zíjn kant van het beeld dat Gaylord Brent in zijn artikel van veertien dagen geleden van hem gegeven had, uiteen wilde zetten.

'De heer Buxton kan helaas geen mensen op zijn kantoor ontvangen,' zei de secretaresse. 'Als u misschien zo vriendelijk zou willen zijn om een brief te schrijven, zal er zeker aandacht aan geschonken worden.'

Ze legde de telefoon neer. De volgende ochtend nam Chadwick de metro naar het centrum van Londen en diende zich aan bij de receptie van Courier House.

Voor een grote portier in uniform vulde hij een formulier in, waarop hij zijn naam, adres, de persoon die hij wenste te spreken en de aard van zijn boodschap vermeldde. Het werd meegenomen en hij ging zitten wachten.

Een half uur later gingen de liftdeuren open om een elegante slanke jongeman, gehuld in een wolk van aftershave, uit te laten. Hij trok een wenkbrauw op tegen de portier, die in de richting van Bill Chadwick knikte. De jongeman ging naar hem toe. Chadwick stond op.

'Ik ben Adrian St. Clair,' zei de jongeman; hij sprak het uit als Sinclair. 'De privé-assistent van de heer Buxton. Kan ik iets voor u doen?'

Chadwick vertelde hem over het artikel dat onder de naam van Gaylord Brent gepubliceerd was en zei, dat hij aan de heer Buxton persoonlijk uiteen wenste te zetten, dat wat daar over hem gezegd was niet alleen onwaar was, maar hem ook met de ondergang van zijn zaak bedreigde. St. Clair vond het jammer maar hij trok het zich niet aan.

'Ja, natuurlijk, uw bezorgdheid is heel begrijpelijk, meneer Chadwick, maar ik vrees, dat een persoonlijk onderhoud met de heer Buxton eenvoudig niet mogelijk is. Hij heeft het ontzettend druk, begrijpt u wel. Ik begrijp . . . eh . . . dat een advocaat uit uw naam reeds contact met de redacteur heeft opgenomen.'

'Er is wel een brief geschreven,' zei Chadwick. 'Er kwam een antwoord van een secretaresse, waarin stond dat een brief voor de rubriek van ingezonden brieven wellicht tot de mogelijkheden behoorde. Nu is mijn verzoek dat hij tenminste naar míjn kant van de kwestie luistert.'

St. Clair glimlachte even. 'Ik heb u reeds uitgelegd dat dat onmogelijk is,' zei hij. 'De brief uit naam van de redacteur is het uiterste waartoe wij willen gaan.'

'Zou ik de heer Gaylord Brent dan zelf even kunnen spreken?' vroeg Chadwick.

'Dat zal, denk ik, niet veel zin hebben,' zei St. Clair. 'Maar als uw advocaat nog eens zou wensen te schrijven, ben ik ervan overtuigd dat die brief door onze juridische afdeling op de gebruikelijke wijze in overweging zal worden genomen. Voor het overige vrees ik, dat ik u niet van dienst kan zijn.'

De portier liet Chadwick door de draaideuren uit.

In een koffiebar in een zijstraat van Fleet Street ging hij een broodje eten en bleef al die tijd in gedachten verdiept. 's Middags zat hij in een naslagbibliotheek, zoals men veel in het centrum aantreft, die gespecialiseerd zijn in hedendaagse archieven en kranteknipsels. Bij het doorbladeren van de map van gevallen van smaad van de laatste tijd bleek hem, dat zijn advocaat niet overdreven had.

Eén zaak vond hij schrikbarend. Iemand van middelbare leeftijd was in een boek door een bekende schrijver belasterd. Hij was een proces begonnen, dat hij had gewonnen, en de uitgever was tot £ 30 000 schadevergoeding en onkosten veroordeeld. Maar de uitgever was in hoger beroep gegaan en het hof van appel had de schadevergoeding afgewezen en beide partijen hun eigen kosten laten betalen. De aanklager, die na vier jaar procederen voor een financieel bankroet stond, had de zaak voor de Hoge Raad gebracht. Deze had de uitspraak van het hof van appel verworpen, hem zijn schadevergoeding toegewezen, maar geen uitspraak gedaan betreffende onkosten. Hij had wel zijn £ 30 000 schadevergoeding gekregen, maar had na vijf jaar een rekening voor proceskosten van £ 45 000. De uitgevers, met eenzelfde rekening voor proceskosten, waren £ 75 000 kwijtgeraakt, maar waren voor het grootste deel van dat bedrag verzekerd. De aanklager had gewonnen, maar was voor zijn verdere leven geruïneerd. Op de foto's stond hij in het eerste jaar van het proces als een energieke man van zestig. Vijf jaar later was hij een wrak geworden, vermagerd door de eindeloze spanning en de zich ophopende schulden. Hij was bankroet gestorven, maar zijn reputatie was hersteld.

Bill Chadwick nam zich vast voor, dat hem zoiets nooit zou overkomen en begaf zich naar de Openbare Bibliotheek Westminster. Daar trok hij zich met een exemplaar van Halsbury's *Wetten van Engeland* in de leeszaal terug.

Zoals de advocaat gezegd had, was er geen geschreven wet over smaad of belediging op de manier waarop er een wegenverkeerswet bestond, maar er was wel een wijzigingswetje van 1888, waarin het begrip smaad als volgt omschreven werd:

Smaad is opzettelijke aanranding van iemands eer of goede naam door tenlastelegging van een bepaald feit met het kennelijke doel daaraan ruchtbaarheid te geven en die ertoe leidt dat hij in diskrediet gebracht of geschaad wordt in zijn ambt, beroep of bedrijf.

Nou, dat laatste heeft in ieder geval betrekking op mij, dacht Chadwick.

Iets, dat zijn advocaat in zijn preek over gerechtshoven tegen hem gezegd had, speelde nog ergens door zijn hoofd. 'Bij het gerecht kunnen alle beweringen openlijk gepubliceerd worden, zonder dat ze bewezen hoeven te worden.' Nee, toch zeker?

Maar de advocaat had gelijk, dat maakte diezelfde wet van 1888 duidelijk. Alles wat tijdens de zitting van het gerecht wordt gezegd, kan bekend gemaakt of gepubliceerd worden, zonder dat de verslaggever of redacteur, drukker of uitgever voor een vervolging wegens smaad hoeven te vrezen, alleen op voorwaarde dat het verslag 'eerlijk, gelijktijdig en nauwkeurig' plaatsvindt.

Dat was natuurlijk ter bescherming tegen de vrees van de rechters, magistraten, getuigen, politieagenten, verdedigers en zelfs de gedaagde om te verklaren van wat zij menen dat de waarheid is, ongeacht de uitkomst van de zaak, dacht Chadwick.

Deze ontheffing van iedere reactie door een persoon, hoezeer ook beledigd, belasterd, onteerd of gesmaad, enkel op voorwaarde dat die verklaring gedaan werd in de rechtszaal tijdens de zitting en ook de ontheffing voor iemand die accuraat weergeeft, drukt en publiceert wat er gezegd werd, heette 'absolute onschendbaarheid'.

In de metro onderweg terug naar de voorsteden, begon er in het hoofd van Bill Chadwick een idee te ontkiemen.

Gaylord Brent woonde, toen Chadwick hem na vier dagen speuren eindelijk ontdekt had, in een modieus straatje in Hampstead, waar Chadwick zich de volgende zondagmorgen aandiende. Hij nam aan, dat een journalist van een zondagsblad wel niet op zondag zou werken en gokte erop dat het gezin Brent niet voor het weekeind naar buiten was gegaan. Hij liep de stoep op en belde aan.

Na een paar minuten werd de deur opengedaan door een aardige vrouw van in de dertig.

'Is meneer Brent thuis?' vroeg Chadwick en zei er direct achter: 'Het gaat over zijn artikel in de *Courier*.'

Het was geen onwaarheid, maar gaf mevrouw Brent wel de indruk, dat de bezoeker van het kantoor in Fleet Street kwam. Ze glimlachte, draaide zich om, riep 'Gaylord' door de gang en wendde zich weer tot Chadwick.

'Hij komt dadelijk,' zei ze en trok zich ergens in het huis waar geluiden van kleine kinderen klonken terug, waarbij ze de deur openliet. Chadwick wachtte.

Een minuut later verscheen Gaylord Brent zelf in een licht gekleurde linnen broek en roze hemd, een chique man van in de veertig.

'Ja?' informeerde hij.

'Meneer Gaylord Brent?' vroeg Chadwick.

'Ja.'

Chadwick vouwde het kranteknipsel dat hij in zijn hand had open en stak het uit.

'Het gaat over dit artikel, dat u in de *Sunday Courier* geschreven hebt.'

Gaylord Brent bekeek het kranteknipsel een paar tellen zonder het aan te pakken. De uitdrukking op zijn gezicht was verbouwereerd en ook een tikje kribbig.

'Dat is van zo'n vier weken geleden,' zei hij. 'Wat is daarmee?'

'Het spijt me dat ik u op zondagmorgen lastig moet vallen,' zei Chadwick, 'maar dat is een risico, dat we blijkbaar allemaal wel eens lopen. Kijk, in dat artikel hebt u mij namelijk vrij ernstig belasterd en dat heeft mij in mijn zakelijke en mijn privé-leven grote schade berokkend.'

De verbouwereerdheid op Brents gezicht maakte langzamerhand plaats voor een toenemende ergernis.

'Wie bent u in vredesnaam?' wilde hij weten.

'O, neem me niet kwalijk. Mijn naam is William Chadwick.'

Nu ging Gaylord Brent eindelijk een lichtje op bij het horen van die naam en de ergernis nam nu helemaal de overhand.

'Hoort u eens,' zei hij, 'u kunt toch niet zo maar naar mijn huis komen om u te beklagen. Daar zijn de geëigende kanalen voor. U zult uw advocaat moeten vragen een brief te schrijven . . .'

'Dat heb ik gedaan,' zei Chadwick, 'maar dat heeft niets geholpen. Ik heb ook getracht de hoofdredacteur te spreken te krijgen, maar hij wilde me niet ontvangen. Daarom ben ik maar naar u toegekomen.'

'Dit is onzinnig,' wierp Gaylord Brent tegen en maakte aanstalten de deur te sluiten.

'Wacht, ik heb iets voor u,' zei Chadwick vriendelijk. Brent liet zijn hand even op de deurpost liggen.

'Wat dan?' vroeg hij.

'Dit,' zei Chadwick.

Bij dat woord hief hij zijn rechterhand met gebalde vuist op en gaf Gaylord Brent een flinke, maar geen kwaadaardige klap op het puntje van zijn neus. Het was geen klap die het neusbeen kon breken en zelfs niet het kraakbenen tussenschot kon beschadigen, maar maakte wel dat Gaylord Brent met zijn hand voor zijn neus geslagen een stap achteruit deinsde, waarbij hij een luid 'Oooooh' uitstiet. Er welden tranen in zijn ogen op en hij begon het eerste straaltje bloeddruppels terug te snuffen. Hij staarde Chadwick even een seconde aan alsof hij met een krankzinnige te maken had en sloeg toen de deur dicht. Chadwick hoorde voetstappen door de gang rennen.

Hij trof zijn politieagent aan op de hoek van Heath Street, een jonge man die van de stilte van de frisse ochtend genoot, maar zich verder een beetje verveelde.

'Agent,' zei Chadwick, die naar hem toeliep, 'wilt u even met me meekomen? Er is een aanval op een burger gedaan.'

De jonge politieman veerde op. 'Een aanval, meneer?' vroeg hij. 'Waar dan?'

'Een paar straten hier vandaan maar,' zei Chadwick. 'Wilt u mij alstublieft volgen.'

Zonder te wachten tot hem nog meer werd gevraagd, wenkte hij de politieman met zijn wijsvinger, draaide zich om en begon met kwieke pas de weg die hij gekomen was terug te lopen. Achter hem hoorde hij de agent in zijn radio praten en het stappen van uniformlaarzen.

De wetsdienaar haalde Chadwick op de hoek van de straat waar de familie Brent woonde in. Om verdere vragen te voorkomen, hield Chadwick zijn kwieke tred vol en zei tegen de agent: 'Hier is het agent, op nummer tweeëndertig.'

De deur was nog steeds dicht, toen zij er aan waren gekomen. Chadwick gebaarde er naar. 'Daar binnen,' zei hij.

Na een korte pauze en een achterdochtige blik naar Chadwick, liep de agent de treden van de stoep op en drukte op de bel. Chadwick kwam naast hem op de bovenste trede staan. De deur ging behoedzaam open en mevrouw Brent kwam te voorschijn. Haar ogen werden groot bij het zien van Chadwick. Voordat de agent iets kon zeggen, viel Chadwick in.

'Mevrouw Brent? Zou deze agent even met uw man kunnen spreken?'

Mevrouw Brent knikte en vluchtte het huis in. Uit de kamer hoorden de beide bezoekers een gefluisterd gesprek, waarin ze de woorden 'politie' en 'die man' konden onderscheiden. Een minuut later verscheen Gaylord Brent in de deuropening. Met zijn linkerhand hield hij een koude, natte theedoek tegen zijn neus gedrukt. Daarachter snufte hij voortdurend.

'Ja,' zei hij.

'Dit is meneer Gaylord Brent,' zei Chadwick.

'Bent u de heer Gaylord Brent?' vroeg de agent.

'Ja,' antwoordde Gaylord Brent.

'Een paar minuten geleden,' zei Chadwick, 'is de heer Brent opzettelijk op de neus gestompt.'

'Is dat waar?' vroeg de agent aan Brent.

'Ja,' knikte Brent, met een woedende blik over zijn theedoek naar Chadwick.

'Juist, ja,' zei de politieman, die er duidelijk niets van begreep. 'En wie heeft dat gedaan?'

'Dat heb ik gedaan,' zei Chadwick naast hem.

De politieagent draaide zich ongelovig om. 'Wat zegt u?' vroeg hij.

'Dat heb ik gedaan. Ik heb hem op de neus geslagen. Dat is toch "mishandeling", is het niet?'

'Is dat waar?' vroeg de agent aan Brent.

Het gezicht achter de theedoek knikte.

'Mag ik vragen waarom?' wilde de politieman van Chadwick weten.

'Wat dat aangaat,' zei Chadwick, 'ben ik uitsluitend bereid dat in een verklaring op het politiebureau uit te leggen.'

De politieman wist niet precies waar hij aan toe was. Tenslotte zei hij: 'Uitstekend, meneer. Dan moet ik u verzoeken met me mee naar het politiebureau te gaan.'

Intussen stond er een politieauto in Heath Street, die vijf minuten tevoren door de agent was opgeroepen. Hij sprak even met de twee politiemannen in uniform die voorin zaten en hij en Chadwick stapten allebei achterin. De auto bracht hen binnen enkele minuten naar het politiebureau. Chadwick werd naar de dienstdoende brigadier gebracht. Hij bleef zwijgend staan, terwijl de jonge agent aan de brigadier uitlegde wat er gebeurd was. De brigadier, een ouwe rot in het vak met een onuitputtelijk geduld, bekeek Chadwick met een belangstellende blik.

'Wie is die man die u een klap hebt gegeven?' vroeg hij.

'Meneer Gaylord Brent,' zei Chadwick.

'U mag hem niet zo erg, zeker,' zei de brigadier.

'Niet zo erg, nee,' zei Chadwick.

'En waarom gaat u dan naar die agent om te vertellen, dat u het gedaan hebt?' vroeg de brigadier.

Chadwick haalde zijn schouders op. 'Dat is toch de wet? Er is een wetsovertreding begaan; de politie moet op de hoogte worden gesteld.'

'Goed idee,' gaf de brigadier toe. Hij wendde zich tot de agent. 'Is de heer Brent veel schade toegebracht?'

'Zo te zien niet,' zei de jongeman. 'Meer als een zacht tikje op de claxon.'

De brigadier zuchtte. 'Adres,' zei hij. De agent gaf het op. 'Wacht hier even,' zei de brigadier.

Hij trok zich terug in een achterkamer. Gaylord Brent had een geheim nummer, maar de brigadier wist het van inlichtingen los te krijgen, waarna hij het opbelde. Even later kwam hij terug.

'De heer Gaylord Brent schijnt er niet zo happig op te zijn de zaak te vervolgen,' zei hij.

'Daar gaat het niet om,' zei Chadwick. 'Het is niet aan meneer Brent om de zaak te vervolgen. We zijn niet in Amerika. De kwestie is, dat hier duidelijk mishandeling is gepleegd. Dat is tegen de wet van het land en het is aan de politie om te besluiten of een vervolging moet worden ingesteld.'

De brigadier keek hem vol walging aan.

'U bent aardig van de wet op de hoogte, meneer, is het niet?'

'Ik heb er het een en ander over gelezen,' zei Chadwick.

'Wie niet?' verzuchtte de brigadier. 'Nou, misschien besluit de politie wel de zaak niet te vervolgen.'

'Als dat zo is, zal ik geen andere keus hebben dan u mee te delen, dat als u dat niet doet, ik weer terug ga om het opnieuw te doen,' zei Chadwick.

De brigadier trok langzaam een stapel formulieren naar zich toe.

'Dat geeft de doorslag,' zei hij. 'Naam?'

Bill Chadwick gaf zijn naam en adres op en werd naar de verhoorkamer gebracht. Hij wilde geen andere verklaring afleggen dan dat hij zijn daad te zijner tijd tegenover de politierechter wenste toe te lichten. Dit werd uitgetypt en door hem ondertekend. Hij werd formeel in beschuldiging gesteld en onder borgstelling van £ 100 op erewoord vrijgelaten, om de volgende morgen voor de politierechter van Noord-Londen te verschijnen. Toen mocht hij vertrekken. De volgende ochtend kwam hij weer voor. Het verhoor duurde twee minuten. Hij weigerde op de beschuldiging in te gaan, wetende, dat zulk een weigering door het gerecht zou worden uitgelegd als een teken dat hij later waarschijnlijk zou ontkennen schuldig te zijn. Hij werd veertien dagen vrij gelaten en de borgsom werd vernieuwd voor het bedrag van £ 100. Aangezien het slechts een verhoor in voorarrest betrof, was de heer Gaylord Brent niet in de rechtszaal aanwezig. Het voorarrest gold op beschuldiging van 'mishandeling' en nam niet meer dan een paar regeltjes in de plaatselijke krant in beslag. In het district waar Bill Chadwick woonde, las niemand die krant, dus werd het niet opgemerkt.

Een week voordat de zaak voorkwam werd door de nieuwsredacteuren van de voornaamste dag-, avond- en zondagsbladen in Fleet Street en omgeving een aantal anonieme telefoontjes ontvangen, waarin de tip werd gegeven, dat de vooraanstaande verslaggever van de *Sunday Courier* de volgende maandag in verband met een geval van mishandeling voor de politierechter van Noord-Londen zou verschijnen, in een zaak van de Kroon versus Chadwick, en dat het de redacteur geen windeieren zou leggen indien hij zelf een lid van zijn redactie zou sturen, in plaats van op de rechtbankverslaggeversdienst van de Persdienst te vertrouwen.

Bijna alle hoofdredacteuren controleerden de rol van de rechtbank voor die dag, stelden vast dat de naam Chadwick inderdaad op die lijst voorkwam en stuurden er een redactielid op af. Niemand wist wat er gaande was, maar men hoopte er het beste van. Net als in de vakbeweging strekte de theorie van kameraadschap in Fleet Street zich niet tot solidariteit in de praktijk uit.

Bill Chadwick kwam om klokslag 10 uur opdagen en er werd hem verzocht te wachten tot zijn zaak voorkwam. Dit gebeurde om kwart over elf. Toen hij de beklaagdenbank binnenkwam, bevestigde een snelle blik naar de persbanken hem, dat ze barstensvol waren. Hij had gezien, dat Gaylord Brent, die als getuige was opgeroepen, buiten de rechtszaal op een bank in de brede gang zat. Volgens de Engelse wet mag een getuige niet de rechtszaal in voor hij opgeroepen wordt om te getuigen. Pa na zijn getuigenis te hebben afgelegd, mag hij achter in de rechtszaal plaatsnemen om naar de rest van de zaak te luisteren. Dat bracht Chadwick even in verlegenheid. Hij loste het dilemma op door te verklaren dat hij onschuldig was.

Hij sloeg het voorstel van de politierechter af om het proces te verdagen tot hij de bijstand van een advocaat had ingeroepen en verklaarde, dat hij zijn eigen verdediging wenste te voeren. De politierechter haalde zijn schouders op maar stemde toe.

De officier van justitie gaf een overzicht van de feiten voor zover deze bekend waren en er werden nogal wat wenkbrauwen opgetrokken, toen hij gewag maakte, dat Chadwick zelf op die bewuste ochtend in Hampstead naar politieagent Clarke was gegaan met het bericht van de mishandeling. Zonder uitstel riep hij vervolgens politieagent Clarke op.

De jonge agent legde de eed af en deed verslag van de aanhouding. Er werd Chadwick gevraagd of hij een kruisverhoor wilde afnemen. Hij sloeg het af. Men drong opnieuw bij hem aan en weer sloeg hij het af. Agent Clarke werd bedankt en hij ging achteraan zitten. Gaylord Brent werd opgeroepen. Hij nam plaats in de getuigenbank en legde de eed af. Chadwick in de beklaagdenbank stond op.

'Edelachtbare,' zei hij tegen de politierechter met luide stem. 'Ik heb er nog eens over nagedacht en ik wil graag op mijn vorige verklaring terugkomen. Ik ben wel schuldig.'

De politierechter staarde hem aan. De officier van justitie, die opgestaan was om te ondervragen, ging zitten. In de getuigenbank stond Gaylord Brent en zweeg.

'Juist,' zei de politierechter. 'Weet u dat zeker, meneer Chadwick?'

'Ja, edelachtbare, heel zeker.'

'Hebt u er bezwaar tegen, meneer Cargill?' vroeg de politierechter aan de officier van justitie.

'Geen bezwaar, edelachtbare,' zei de heer Cargill. 'Ik moet hieruit opmaken dat de gedaagde de feiten van de zaak zoals ik die uiteen heb gezet, niet langer betwist.'

'Die betwist ik helemaal niet,' zei Chadwick uit de beklaagdenbank. 'De gebeurtenissen hebben zich inderdaad zo toegedragen.'

De politierechter wendde zich tot Gaylord Brent. 'Het spijt me dat u lastig gevallen bent, meneer Brent,' zei hij, 'maar het schijnt dat uw getuigenverklaring niet meer nodig is. U kunt vertrekken of achter in de zaal plaatsnemen.'

Gaylord Brent knikte en verliet de getuigenbank. Hij knikte nog even naar de persbanken en zocht achteraan een plaatsje, naast de politieagent, die zijn getuigenis reeds had afgelegd. De politierechter richtte zich tot Chadwick.

'Meneer Chadwick, u hebt nu verklaard dat u schuldig bent. Dat wil dus zeggen, dat u toegeeft dat u de heer Brent hebt aangevallen. Wenst u nog getuigen à decharge op te roepen?'

'Nee, edelachtbare.'

'U mag getuigenverklaringen over uw karakter laten afleggen indien u dat wenst of zelf verzachtende omstandigheden aanvoeren.'

'Ik heb er geen behoefte aan getuigen op te roepen,' zei Chadwick, 'en wat verzachtende omstandigheden betreft, wil ik vanaf de beklaagdenbank een verklaring afleggen.'

'Dat is uw onschendbaar recht,' zei de politierechter.

Chadwick, die inmiddels was opgestaan om de rechter en de balie toe te spreken, haalde een opgevouwen krantenknipsel uit zijn zak.

'Edelachtbare, zes weken geleden heeft de heer Gaylord Brent in de krant waar hij voor werkt, de *Sunday Courier*, dit artikel gepubliceerd. Ik zou het op prijs stellen, als uw edelachtbare het even zou willen lezen.'

Er stond een griffier in de zaal op, die het krantenknipsel aannam en er mee naar de tafel van de rechter ging.

'Houdt dit verband met de zaak die nu behandeld wordt?' vroeg de politierechter.

'Ik verzeker u, dat dit inderdaad het geval is, edelachtbare.'

'Uitstekend,' zei de politierechter. Hij nam het aangeboden krantenknipsel van de griffier aan en las het snel door. Toen hij het uit had, legde hij het neer en zei: 'Juist.'

'In dat artikel,' zei Chadwick, 'heeft Gaylord Brent mij op een boosaardige en zeer nadelige manier belasterd. Het zal u opvallen, edelachtbare, dat het artikel over een firma gaat, die een produkt verhandelt en vervolgens failliet gaat, waardoor een aantal personen die bij hem bedragen hadden gedeponeerd, gedupeerd zijn geraakt. Ik was helaas een van de zakenlieden die ook door deze firma, die ik als vele anderen voor een gezonde firma met een betrouwbaar produkt had aangezien, is opgelicht. De waarheid is, dat ik ook mijn geld ben kwijtgeraakt door mijn vergissing, maar het was niettemin een vergissing. In dit artikel werd ik in het wildeweg, volkomen ongegrond beschuldigd van een of andere vaag soort medeplichtigheid in deze affaire en bovendien beschuldigd door een slordige, luie, onbekwame broodschrijver, die nog niet eens de moeite neemt om behoorlijk zijn huiswerk te maken.'

Er klonk een kreet van verbazing uit de rechtszaal, gevolgd door een pauze, waarna de potloden in de persbank woest over de gelijnde blocnotes vlogen.

De officier van justitie stond op. 'Is dit wel nodig als verzachtende omstandigheid, edelachtbare?' vroeg hij op klaaglijke toon.

Chadwick kwam ertussen. 'Ik verzeker u, dat ik alleen maar de achtergrond van de zaak tracht toe te lichten, edelachtbare. Ik heb gewoon het idee dat uw edelachtbare het misdrijf beter kan beoordelen, als u de redenen daarvoor begrijpt.'

De politierechter keek Chadwick even nadenkend aan.

'De gedaagde heeft gelijk,' gaf hij toe. 'Gaat u verder.'

'Dank u, edelachtbare,' zei Chadwick. 'Welnu, als deze zogenaamde onderzoeksverslaggever de moeite had genomen om contact met mij te zoeken, alvorens deze vuiligheid te schrijven, dan had ik hem al mijn dossiers, rekeningen en bankoverzichten ter inzage gegeven, om geen enkele twijfel bij hem te laten bestaan, dat ik net zo misleid was als de kopers en bovendien aanzienlijke bedragen had verloren. Maar hij vond het niet eens nodig zich met mij in verbinding te stellen, hoewel ik toch in het telefoonboek en in het handelsadresboek sta. Het schijnt dat deze dappere onderzoeker onder zijn aanmatigende houding eerder de neiging heeft naar borrelpraatjes te luisteren dan zijn feiten te toetsen . . .'

Gaylord Brent, knalrood van verontwaardiging, was achter in de zaal opgestaan. 'Hoor nu eens even hier . . .' schreeuwde hij.

'Stílte,' brulde de griffier, die eveneens was opgestaan. 'Stilte in de zaal.'

'Ik begrijp uw boosheid wel, meneer Chadwick,' zei de politierechter ernstig, 'maar ik vraag me af, wat dit met verzachtende omstandigheden te maken heeft.'

'Edelachtbare,' zei Chadwick nederig, 'ik doe alleen maar een beroep op uw gevoel voor rechtvaardigheid. Wanneer iemand, die altijd een braaf, oppassend leven heeft geleid, plotseling een ander mens aanvalt, is het toch wel noodzakelijk zijn motieven voor een dergelijke ongewone daad te begrijpen. Dit moet, naar mijn bescheiden mening, het oordeel van degene wiens taak het is een vonnis uit te spreken, toch beïnvloeden?'

'Uitstekend,' zei de politierechter, 'verklaar uw motieven nader, maar matig uw taal alstublieft een beetje.'

'Dat zal ik zeker doen,' zei Chadwick. 'Na de verschijning van deze opeenstapeling van leugens die voor serieuze journalistiek moet doorgaan, was mijn bedrijf ernstig benadeeld. Het bleek namelijk, dat een aantal zakenrelaties van mij, niet op de hoogte van het feit, dat de zogenaamde ontmaskering van de heer Gaylord Brent eerder van de bodem van een whiskyfles dan uitputtend onderzoek afkomstig waren, zelfs geneigd waren die lasteringen te geloven.'

Achter in de zaal was Gaylord Brent buiten zichzelf van woede. Hij stootte de politieman naast hem aan.

'Dit kan hij toch zeker niet maken?' siste hij.

'Ssst,' zei de agent.

Brent stond op. 'Edelachtbare,' riep hij, 'ik wilde alleen even zeggen . . .'

'Stílte,' schreeuwde de griffier.

'Als de orde in de rechtszaal nog eens verstoord wordt, zal ik hen die daarvoor verantwoordelijk zijn laten verwijderen,' zei de politierechter.

'Dus u begrijpt wel, edelachtbare,' vervolgde Chadwick, 'dat ik begon te piekeren. Ik vroeg mij af, met welk recht een slecht geïnformeerde pias, die te lui is om zijn aantijgingen te verifiëren, zich achter het bolwerk van juridische en financiële bronnen die een grote krant biedt kan verschuilen, om vanuit die gunstige positie een kleine man kapot te maken, voor wie hij niet eens de moeite heeft genomen hem te ontmoeten; een man die zijn hele leven zo hard en eerlijk mogelijk heeft gewerkt.'

'Er staan andere wegen open voor beschuldiging van laster,' merkte de politierechter op.

'Die zijn er inderdaad,' zei Chadwick, 'maar u als vertegenwoordiger van de wet, weet ongetwijfeld dat er tegenwoordig weinig mensen zijn, die zich de enorme lasten kunnen veroorloven om het tegen de macht van een landelijke krant op te nemen. Daarom heb ik getracht de redacteur te spreken te krijgen, om aan de hand van feiten en documenten uit te leggen, dat zijn werknemer het volkomen bij het verkeerde eind had gehad en niet eens een poging tot nauwkeurigheid had gedaan. Hij weigerde met mij te spreken, toen en later ook. Daarom ben ik Gaylord Brent persoonlijk gaan opzoeken. Aangezien ze mij niet op kantoor met hem wilden laten spreken ben ik naar zijn huis gegaan.

'Om hem op de neus te slaan?' zei de politierechter. 'U mag dan ernstig belasterd zijn, maar geweld mag nooit het antwoord zijn.'

'Goeie help, welnee, edelachtbare,' zei Chadwick verbaasd. 'Helemaal niet om hem te slaan, maar om redelijk met hem te praten. Om hem te verzoeken de feiten na te gaan, die naar ik meende hem zouden aantonen, dat wat hij geschreven had eenvoudigweg onjuist was.'

'Aha,' zei de politierechter met belangstelling. 'Eindelijk het motief. U bent naar zijn huis gegaan om een beroep op hem te doen?'

'Dat heb ik inderdaad gedaan, edelachtbare,' zei Chadwick. Hij wist net zo goed als de openbare aanklager dat hij, omdat hij niet onder ede stond en uit de beklaagdenbank sprak, niet aan een kruisverhoor onderworpen kon worden.

'En waarom hebt u dan niet met hem gediscussieerd?' vroeg de politierechter.

Chadwick liet zijn schouders hangen. 'Dat heb ik geprobeerd,' zei hij. 'Maar hij behandelde me alleen maar met dezelfde hooghartige minachting die ik op het bureau van de krant had ondervonden. Hij wist dat ik een klein mannetje was, iemand zonder gewicht; dat ik het niet tegen de machtige *Courier* kon opnemen.'

'En wat is er toen gebeurd?' vroeg de politierechter.

'Ik moet bekennen, dat er iets in mij knapte,' zei Chadwick. 'Ik deed iets onvergeeflijks: ik gaf hem een klap op zijn neus. Precies één tel in mijn hele leven heb ik mijn zelfbeheersing verloren.'

Met die woorden ging hij zitten. De politierechter keek vanaf zijn tafel de rechtszaal door.

Jij hebt op dezelfde manier je zelfbeheersing verloren, als de Concorde aan elastieken draadjes vliegt, vriend, dacht hij bij zichzelf. Hij moest echter onwillekeurig aan een voorval van jaren geleden denken, toen hij in de kranten heftig was aangevallen over een of ander vonnis dat hij in een ander gerechtshof uitgesproken had; zijn boosheid was nog vergroot door de wetenschap, dat hij later gelijk bleek te hebben gehad. Hardop zei hij: 'Dit is een zeer ernstige zaak. Het hof moet aannemen dat u vond dat u onrecht was aangedaan en zelfs, dat u die ochtend niet van uw huis naar Hampstead bent gegaan met het voornemen geweld te plegen.

Maar u hebt toch de heer Brent op zijn eigen stoep een klap gegeven. Wij kunnen als maatschappij eenvoudig niet toestaan, dat particuliere burgers rondlopen met het idee, dat ze 's lands vooraanstaande journalisten op hun neus kunnen meppen. Boete honderd pond met vijftig pond onkosten.'

Bill Chadwick schreef zijn chèque uit, terwijl de persbanken leeg liepen en de schrijvers naar telefoons en taxi's snelden. Toen hij de trap van het gerechtsgebouw afliep voelde hij dat iemand hem bij de arm greep.

Hij draaide zich om en zag Gaylord Brent, bleek van woede en trillend van de schok, tegenover zich.

'Ellendeling dat je bent,' zei de journalist. 'Dat kun je mij niet flikken, wat je daar zoëven gezegd hebt.'

'Dat kan ik heel goed,' zei Chadwick. 'Uit de beklaagdenbank kan ik dat zeggen, ja. Dat heeft absolute onschendbaarheid.'

'Maar dat ben ik helemaal niet waar je me allemaal voor uit hebt gemaakt,' zei Brent. 'Zulke dingen kun je niet over iemand anders zeggen.'

'Waarom niet? zei Chadwick vriendelijk. 'Dat heb jij ook gedaan.'

Plicht*

De motor van de auto had al ruim drie kilometer lang gesputterd en toen hij tenslotte de geest begon te geven, was ik al een heel eind een steile, bochtige bergweg opgereden. Ik bad tot al mijn Ierse heiligen, dat hij er op dat punt niet mee op zou houden en mij temidden van de woeste schoonheid van het Franse landschap in de steek zou laten.

Bernadette naast mij wierp mij verschrikte blikken toe, toen ik mij over het stuur boog en op het gaspedaal pompte, om te trachten het laatste beetje kracht uit de falende motor te persen. Er was kennelijk iets mis onder de motorkap en op technisch gebied was ik een volslagen leek.

De oude Triumph Mayflower kon nog net de berg halen en kwam op de top rochelend tot stilstand. Ik zette het contact af, trok de handrem aan en stapte uit. Bernadette volgde mij en wij keken over de andere kant van de berg uit, waar de landweg naar beneden het dal inliep.

Het was ongetwijfeld prachtig, die zomeravond in het begin van de jaren vijftig. Het gebied van de Dordogne was helemaal nog niet 'ontdekt' – tenminste niet door de rijke toeristen. Het was een landelijk gebied in Frankrijk, waar door de eeuwen heen weinig veranderd was. Er staken geen fabriekspijpen of hoogspanningsmasten in de lucht en geen autowegen ontsierden het groene dal. Gehuchtjes verscholen zich aan smalle weggetjes en haalden hun levensonderhoud van de omringende akkers, waarop de oogst in door spannen ossen getrokken krakende houten karren werd binnengehaald. In die streek hadden Bernadette en ik besloten die zomer in onze oude toerwagen op avontuur te gaan, onze eerste vakantie in het buitenland; dat wil zeggen, buiten Ierland en Engeland.

* Er is mij op gewezen, dat het volgende verhaal vergeleken bij de andere verhalen in deze bundel van karakter verschilt en eigenlijk niet in een speciale categorie is onder te brengen. Uit pure liefhebberij heb ik besloten het toch op te nemen. Het is mij door een Ierse vriend verteld en hij heeft mij bezworen dat het de zuivere waarheid was en dat het hem echt is overkomen. Om die reden heb ik verkozen het, in tegenstelling tot alle andere verhalen, in de eerste persoon te vertellen.

Ik viste mijn wegenkaart uit de auto, bestudeerde hem en wees naar een plek aan de noordelijke grenzen van het Dordognedal.

'We zitten hier ergens, geloof ik,' zei ik.

Bernadette tuurde naar de weg voor ons. 'Daar beneden ligt een dorpje,' zei ze.

Ik volgde haar blik. 'Je hebt gelijk.'

De spits van een kerktorentje was tussen de bomen te zien en een stukje van een dak van een schuur. Ik keek twijfelachtig naar de auto en de berg.

'We halen het misschien nog net zonder motor,' zei ik, 'maar niet verder.'

'Het is beter dan de hele nacht hier te blijven zitten,' zei mijn wederhelft.

We stapten weer in de auto. Ik schakelde in de vrijloop, drukte de koppeling helemaal in en liet de handrem los. De Mayflower begon zachtjes vooruit te rijden en kreeg toen vaart. In een griezelig stilzwijgen freewheelden we de berg af naar het torentje in de verte.

Door de zwaartekracht werden we naar de buitenkant gevoerd van wat een gehuchtje van een stuk of vijfentwintig huizen bleek te zijn en door de stuwkracht van de auto reden we naar het midden van de dorpsstraat. Toen hield de auto stil. We stapten er weer uit. De schemer begon in te vallen.

De straat bleek helemaal leeg te zijn. Bij de muur van een grote bakstenen schuur krabde een eenzame kip in het zand. Twee verlaten hooiwagens met de schoven in het stof, stonden aan de kant van de weg, maar hun eigenaars waren blijkbaar elders. Ik had net besloten om op de gesloten luiken van een van de huizen te kloppen en te trachten met mijn volstrekte onkunde van de Franse taal mijn hachelijke toestand uit te leggen, toen er van achter de kerk op honderd meter afstand een eenzame figuur te voorschijn kwam en op ons toe liep.

Toen hij naderbij kwam zag ik dat het de dorpspastoor was. In die tijd droegen ze nog de lange zwarte soutane met sjerp en breedgerande hoed. Ik probeerde mij het Franse woord te binnen te brengen om hem mee te begroeten. Tevergeefs. Toen hij vlak bij ons was riep ik uit: 'Vader.'

Het was tenminste voldoende. Hij bleef staan, kwam naar ons toe en glimlachte vragend. Ik wees naar mijn auto. Hij knikte stralend, alsof hij wilde zeggen 'mooie wagen'. Hoe moest ik uitleggen dat ik geen trotse eigenaar was, op zoek naar bewondering voor zijn voertuig, maar een toerist met panne?

Latijn, dacht ik. Hij was bejaard, maar hij zou zich toch nog wel wat Latijn uit zijn schooltijd herinneren. Maar wat belangrijker was, kon ik dat ook? Ik pijnigde mijn hersens. De christenbroeders hadden jarenlang getracht wat Latijn in mijn hoofd te stampen, maar behalve voor het lezen van de mis had ik het nooit meer gebruikt en er staat in het missaal heel weinig over de problemen van een kapotte Triumph.

Ik wees naar de motorkap van de wagen.

'Currus meus fractus est,' zei ik tegen hem. Het betekent eigenlijk 'Mijn strijdwagen is kapot', maar het scheen resultaat te hebben. Er kwam een begrijpende uitdrukking op zijn ronde gezicht.

'Ah, est fractus currus teus, filius meus?' herhaalde hij.

'In veritate, pater meus,' zei ik tegen hem. Hij dacht even na en beduidde ons toen dat we op hem moesten wachten. Met versnelde pas liep hij weer terug de straat in en ging een huis binnen dat zoals ik toen ik er later langs kwam zag het dorpscafé en kennelijk het middelpunt van het dorpsleven was. Daar had ik aan moeten denken.

Hij kwam een paar minuten later naar buiten, vergezeld door een grote man, gekleed in de blauw linnen broek en kiel van een typische Franse boer. Zijn espadrilles met touwzolen schraapten over het zand toen hij naast de voortdravende priester naar ons toesjokte.

Toen ze bij ons waren gekomen, brak de abbé in rad Frans los, waarbij hij naar de auto gebaarde en links en rechts de weg af wees. Ik kreeg de indruk, dat hij zijn parochiaan vertelde, dat de auto daar niet de hele nacht op de weg kon blijven staan om de zaak te blokkeren. Zonder een woord te zeggen knikte de boer en liep de weg weer op, de priester, Bernadette en mij alleen bij de auto achterlatend. Bernadette ging zwijgend aan de kant van de weg zitten.

Zij, die ooit tijd hebben moeten zoek brengen met wachten tot er iets onbekends gebeurt, in gezelschap van iemand met wie men geen woord kan wisselen, weten wat dat betekent. Ik knikte glimlachend. Hij knikte glimlachend. Wij knikten allebei glimlachend. Tenslotte verbrak hij de stilte.

'*Anglais?*' vroeg hij, op Bernadette en mijzelf wijzend. Ik schudde geduldig mijn hoofd. Een van de lasten die de Ieren door de geschiedenis moeten torsen is, voor Engelsen te worden aangezien.

'*Irlandais,*' zei ik, hopend dat ik het goed had gezegd. Zijn gezicht klaarde op.

'*Ah, Hollandais,*' zei hij. Ik schudde mijn hoofd weer, nam hem aan de arm mee naar de achterkant van de auto en wees naar de sticker op het spatbord, waar zwart op wit met hoofdletters IRL op stond. Hij glimlachte als tegen een lastig kind.

'*Irlandais?*' Ik knikte glimlachend. '*Irlande?*' Weer geglimlach en geknik van mij. '*Partie d'Angleterre,*' zei hij. Ik zuchtte. Er zijn van die gevechten die men niet kan winnen en dit was niet het tijdstip of de plaats om aan de goede vader uit te leggen dat Ierland, mede dank zij de opofferingen van Bernadette's vader en oom, niet een deel van Engeland was.

Op dit moment kwam de boer uit een smal steegje tussen twee bakstenen muren te voorschijn, op een oude, brommende trekker gezeten. In een wereld van door paarden en ossen getrokken wagens, kon het best de enige trekker van het dorp geweest zijn en de motor klonk niet veel beter dan die van de Mayflower vlak voor hij het liet afweten. Maar hij ronkte de straat door en hield vlak voor mijn auto stil.

Met een dik touw maakte de in het blauw geklede boer mijn auto aan de trekhaak van de trekker vast en de priester beduidde dat wij in de auto moesten stappen. Op deze wijze werden wij over de weg, een hoek om en een erf op gesleept, met de priester die naast ons liep.

In de toenemende schemering onderscheidde ik een afbladderend bord boven iets wat ook weer op een bakstenen schuur leek. Er stond GARAGE op en hij was kennelijk op slot. De boer maakte mijn auto van de haak los en begon zijn touw op te bergen. De priester wees op zijn horloge en de met luiken gesloten garage. Hij beduidde dat hij de volgende morgen om zeven uur opening, op welk tijdstip de afwezige monteur zou kijken wat er aan mankeerde.

'Wat moeten we dan in die tussentijd doen?' fluisterde Bernadette tegen mij. Ik trok de aandacht van de priester, legde mijn twee handen op elkaar naast de ene kant van mijn gezicht en hield mijn hoofd schuin, in het internationale gebaar van iemand die wenst te slapen. De priester begreep het.

Er ontstond weer een rad gesprek tussen de priester en de boer. Ik kon er niets van volgen, maar de boer stak een arm op en wees. Ik ving het woord 'Preece' op, wat mij niets zei, maar zag de priester instemmend knikken. Toen wendde hij zich tot mij en beduidde, dat wij een koffer uit de auto moesten halen en op de achterste sport van zijn trekker klimmen waar we ons met onze handen moesten vasthouden.

Dit deden we en de trekker draaide om, het erf af en de weg op. De vriendelijke priester wuifde ons gedag en dat was het laatste dat we van hem zagen. Zo stonden we naast elkaar op de achtersport van de trekker, ik met een reistas met onze spullen voor de nacht in de ene hand, en hielden ons stevig vast. We voelden ons volslagen belachelijk.

Onze zwijgende chauffeur reed over de weg tot helemaal aan het eind van het dorp, stak een riviertje over en reed een andere berg op. Bijna bovenaan gekomen, draaide hij het erf van een boerderij op, waarvan de grond uit een mengeling van zomers stof en koeievlaaien bestond. Hij kwam voor de deur van de boerderij tot stilstand en gebaarde dat we moesten afstappen. De motor bleef lopen en maakte een enorme herrie.

De boer liep naar de deur van de boerderij en klopte. Even later verscheen er een kleine vrouw van middelbare leeftijd in een schort, omlijst door het licht van een olielamp achter haar. De bestuurder van de trekker onderhield zich met haar, waarbij hij naar ons wees. Ze knikte. De chauffeur ging tevreden naar zijn trekker terug en wees ons op de open deur. Toen reed hij weg.

Terwijl het tweetal had staan praten, had ik het erf eens rondgekeken bij het laatste restje daglicht. Het was typisch een kleine gemengde boerderij, zoals ik er al zoveel had gezien, met een beetje van dit en een beetje van dat. Er was een koestal, een stal voor het paard en de os, een houten trog naast een handpomp en een grote mesthoop, waar een groepje bruine kippen hun kostje oppikte. Alles zag er verweerd en door de zon gebleekt uit, er was niets dat modern of efficiënt was, maar het was een van die traditionele Franse boerenbedrijfjes, waarvan honderdduizenden de ruggegraat van de landbouweconomie uitmaakten.

Ergens waar ik het niet kon zien hoorde ik het ritmisch rijzen en dalen van een bijl, de slag als hij in het hout sneed en het losscheuren van de gespleten blokken als de houthakker ze van elkaar trok. Er was iemand brandhout aan het splijten voor de vuren van de winter die nog komen moest. De dame in de deuropening wenkte ons binnen te komen.

Er zal misschien een woon-, zitkamer of salon zijn geweest – hoe je het maar wilt noemen – maar wij werden de keuken binnengeleid, die blijkbaar het middelpunt van het huiselijk leven was; een met een tegelvloer belegd vertrek met een aanrecht, een tafel en twee haveloze leunstoelen bij een open haard. Een andere handpomp bij het stenen aanrecht gaf aan dat het water uit een put kwam en de verlichting geschiedde door petroleumlampen. Ik zette de reistas neer.

Onze gastvrouw bleek een hartelijk mens te zijn. Ze had een rond gezicht met appelwangen, grijs haar dat naar achteren in een wrong was gedraaid, verweerde werkhanden en ze droeg een lange grijze japon met een wit schort erover. Met een vriendelijke glimlach ter begroeting stelde ze zich voor als madame Preece en wij zeiden haar onze namen, die voor haar onuitsprekelijk waren. De gesprekken zouden wel weer beperkt blijven tot knikken en glimlachjes, maar ik was al lang blij een plek te hebben om te logeren, onze hachelijke toestand een uurtje geleden op de berg in aanmerking genomen.

Madame Preece gebaarde dat Bernadette misschien de kamer wilde zien om zich op te frissen; voor mij was een dergelijke luxe blijkbaar niet nodig. De twee vrouwen verdwenen met de reistas naar boven. Ik liep naar het raam, dat open stond om de warme avondlucht binnen te laten. Het gaf uitzicht op een ander erf aan de achterkant van het huis, waar bij een houten schuurtje een kar in het gras stond. Van het schuurtje af liep een korte schutting van houten palen, van ongeveer een meter tachtig hoog. Boven de schutting uit rees en daalde het blad van een grote bijl en het geluid van het hakken van brandhout ging maar door.

Bernadette kwam tien minuten later terug; ze zag er opgefrist uit, na zich in een porseleinen kom met koud water uit een stenen kan te hebben gewassen. Het water dat uit het bovenraam op het erf viel was zeker de oorzaak geweest van het vreemde gespetter dat ik gehoord had. Ik trok mijn wenkbrauwen op.

'Het is een aardig kamertje,' zei ze. Madame Preece, die stond te kijken, knikte stralend, want ze verstond niets anders dan de goedkeurende toon. 'Ik hoop dat er geen beestjes zijn die steken,' zei Bernadette met dezelfde opgewekte glimlach.

Ik was er wel bang voor. Mijn vrouw heeft altijd erg veel last van vlooien en muggen, die grote bulten op haar blanke Keltische huid veroorzaken. Madame Preece beduidde dat we in de versleten leunstoelen moesten gaan zitten. Dat deden we en praatten over koetjes en kalfjes, terwijl zij bedrijvig bezig was bij het zware ijzeren fornuis aan de overkant van het vertrek. Er stond iets te koken dat heerlijk rook en de geur maakte me hongerig.

Tien minuten later verzocht ze ons aan tafel te komen en zette porseleinen kommen voor ons neer, soeplepels en voor elk van ons een verrukkelijk kruimig stokbrood. Tenslotte zette ze een grote terrine in het midden, waar een ijzeren opscheplepel uitstak en nodigde ons uit onszelf te bedienen.

Ik schepte Bernadette een portie op van wat een dikke, voedzame, smakelijke groentesoep bleek te zijn, hoofdzakelijk van aardappelen en erg machtig, wat maar goed was ook. Het vormde de hoofdmaaltijd van de avond, maar was zo lekker, dat wij tenslotte allebei drie porties verorberden. Ik bood aan voor madame Preece een portie op te scheppen, maar daar wilde ze niets van weten. Dat was blijkbaar niet de gewoonte.

'Servez-vous, monsieur, servez-vous,' herhaalde ze en dus schepte ik mijn eigen kom maar tot de rand toe vol en deden we ons te goed.

Het duurde nog geen vijf minuten of het geluid van het houthakken hield op en een paar tellen later werd de achterdeur opengeduwd en kwam de boer zelf voor zijn avondeten binnen. Ik stond op om hem te begroeten, terwijl madame rad pratend onze aanwezigheid verklaarde, maar hij liet niet de geringste belangstelling voor die twee vreemden aan zijn eettafel blijken, dus ging ik maar weer zitten.

Het was een reusachtige man, die met zijn hoofd bijna langs het plafond schuurde. Hij sjokte meer dan hij liep en wekte op het eerste gezicht de indruk – die juist bleek te zijn – van een enorme kracht gepaard aan een zeer trage intelligentie.

Hij was om en nabij de zestig, het kon een paar jaar schelen en zijn kortgeknipte grijze haar lag plat tegen zijn hoofd. Het viel me op, dat hij kleine ronde oortjes had en zijn ogen, waarmee hij zonder een spoor van een groet naar ons keek, waren van een kinderlijk onschuldig blauw.

De reus ging zonder een woord op zijn eigen stoel zitten en zijn vrouw schepte hem meteen een kom tot de rand toe vol met soep op. Zijn handen waren donker van de aarde en voor zover ik wist ander spul, maar hij maakte geen aanstalten ze te wassen. Madame Preece ging weer op haar stoel zitten, wierp ons weer een stralende glimlach met een knikje van haar vogelkopje toe en wij zetten onze maaltijd voort. Uit mijn ooghoek zag ik, dat de boer lepels vol groentesoep naar binnen slobberde, vergezeld van grote hompen brood, die hij zonder omslag van zijn stokbrood scheurde.

De man en zijn vrouw voerden geen gesprek, maar ik zag, dat ze hem af en toe vertederde en toegeeflijke blikken toezond, hoewel hij er niet de minste aandacht aan schonk.

Bernadette en ik deden een poging om tenminste tegen elkaar te praten, meer om het drukkende stilzwijgen te verbreken dan om informatie uit te wisselen.

'Ik hoop dat de auto morgen gerepareerd kan worden,' zei ik. 'Als het iets ernstigs is, moet ik misschien wel naar de dichtstbijzijnde grote stad voor een reserve-onderdeel of een takelwagen.'

Ik huiverde bij de gedachte aan de bres, die de onkosten in ons naoorlogse reispotje zouden slaan.

'Wat is de dichtstbijzijnde grote plaats?' vroeg Bernadette tussen twee happen soep.

Ik trachtte me de kaart in de auto voor de geest te halen. 'Bergerac, geloof ik,' zei ik.

'Hoe ver is dat?' vroeg ze.

'O, een kilometer of zestig,' antwoordde ik.

Er viel niet veel anders meer te zeggen en er hing dus weer een stilte. Het had ruim een minuut geduurd, toen ergens uit het niets plotseling een stem in het Engels zei: 'Vierenveertig.'

We zaten op dat moment allebei met gebogen hoofd en Bernadette keek naar me op. Ik keek al even verbaasd als zij. Ik keek naar madame Preece. Ze glimlachte blij en ging door met eten. Bernadette gaf een onmerkbaar knikje in de richting van de boer. Ik draaide me naar hem om. Hij zat nog steeds zijn soep met brood naar binnen te schrokken.

'Wat zegt u?' vroeg ik.

Hij gaf geen blijk het gehoord te hebben en verscheidene lepels soep met grote hompen brood gingen achter elkaar door zijn keel.

Toen, twintig tellen na mijn vraag, zei hij heel duidelijk in het Engels: 'Vierenveertig. Naar Bergerac. Kilometer. Vierenveertig.'

Hij keek ons niet aan. Ik wierp een blik over de tafel naar madame Preece. Ze wierp me een gelukkige glimlach toe alsof ze wilde zeggen: 'Ja, hoor, mijn man heeeft een talenknobbel.' Bernadette en ik legden stomverbaasd onze lepels neer.

'Spreekt u Engels?' vroeg ik aan de boer.

Er tikten weer een paar seconden voorbij. Tenslotte knikte hij slechts.

'Bent u in Engeland geboren?' vroeg ik.

De stilte duurde langer zonder dat er antwoord kwam. Dat kwam ruim vijftig seconden na de vraag.

'In Wales,' zei hij en propte een nieuwe homp brood in zijn mond.

Ik moet hier uitleggen, dat als ik bij het vertellen van dit verhaal de dialoog niet wat bekort, de lezer zich dood zal vervelen. Maar zo ging het op dat moment niet. Het gesprek, dat zich langzaam tussen ons ontspon, duurde een eeuwigheid door de buitensporig lange pauzes tussen mijn vragen en zijn antwoorden.

Aanvankelijk dacht ik dat hij misschien een beetje doof was, maar dat was niet het geval. Aan zijn gehoor mankeerde niets. Toen dacht ik dat hij wellicht een buitengewoon voorzichtige, sluwe man was, die over het gevolg van zijn antwoorden nadenkt als een schaker die het effect van zijn zetten berekent. Maar dat was het ook niet. Hij was gewoon iemand zonder enige bijbedoelingen, bij wie het denkproces zo langzaam verliep, dat er tegen de tijd dat hij een vraag in zich had opgenomen, had uitgemaakt wat de bedoeling was, er een antwoord op geformuleerd en deze uitgesproken had, een heleboel seconden, ja zelfs een volle minuut verstreken was.

Misschien zou ik niet genoeg belangstelling hebben opgebracht om het moeizame gesprek dat de daarop volgende twee uur in beslag nam voort te zetten, als ik er niet benieuwd naar was geweest waarom iemand uit Wales hier in het hart van het Franse land aan het boeren was. Heel langzaam kwam bij stukjes en beetjes de reden eruit en die was aardig genoeg om Bernadette en mij geamuseerd te boeien.

Hij heette geen Preece, maar Price, op zijn Frans uitgesproken als Pries. Evan Price. Hij was afkomstig van het Rhondda-dal in

Zuid-Wales. Bijna veertig jaar geleden had hij als gewoon soldaat in de Eerste Wereldoorlog in een Welsh regiment gediend.

Als zodanig had hij deelgenomen aan de tweede grote slag aan de Marne, die aan het eind van de oorlog voorafging. Hij was zwaar gewond geraakt en had wekenlang in een Engels legerhospitaal gelegen terwijl de wapenstilstand werd afgekondigd. Toen het Engelse leger naar huis ging en hij te ziek was om te worden vervoerd, is hij naar een Frans ziekenhuis overgebracht.

Hier werd hij verzorgd door een jonge verpleegster, die toen hij daar lag, verliefd op hem was geworden. Ze waren getrouwd en naar het zuiden, naar het boerderijtje van haar ouders in de Dordogne gegaan. Hij was nooit meer naar Wales teruggekeerd. Na de dood van haar ouders had zijn vrouw, als hun enig kind, de boerderij geërfd en daarom zaten we nu hier.

Madame Preece had tijdens de urenlange vertelling zitten luisteren en af en toe een woord dat ze herkende opgevangen, waarbij ze dan steeds stralend begon te glimlachen. Ik trachtte mij haar voor te stellen zoals ze toen in 1918 geweest moest zijn, slank en met donkere ogen als een kleine bedrijvige mus opgewekt aan het werk.

Bernadette was ook ontroerd door het beeld van het Franse toegewijde verpleegstertje, dat verliefd was geworden op de enorme, hulpeloze, uit de kluiten gewassen baby, simpel van geest, in het hospitaal in Vlaanderen. Ze leunde naar voren om Price op de arm te tikken.

'Wat een prachtig verhaal, meneer Price,' zei ze.

Hij gaf geen blijk van belangstelling.

'Wij komen uit Ierland,' zei ik, om op onze beurt iets over onszelf te vertellen.

Hij bleef zwijgen, terwijl zijn vrouw hem zijn derde portie soep opschepte.

'Bent u wel eens in Ierland geweest?' vroeg Bernadette.

Er tikten nog meer seconden voorbij. Hij bromde iets en knikte. Bernadette en ik keken elkaar blij verbaasd aan.

'Had u daar werk?'

'Nee.'

'Hoe lang bent u daar geweest?'

'Twee jaar.'

'En wanneer was dat?' vroeg Bernadette.

'In 1915 . . . tot 1917.'

'Wat deed u daar?' De tijd verstreek.

'In het leger.'

Natuurlijk, ik had het kunnen weten. Hij had niet in 1917 dienst genomen; hij had eerder dienst genomen en was in 1917 in Vlaanderen gestationeerd. Daarvoor had hij in het Engelse legergarnizoen in Ierland gezeten.

Er kwam een lichte verkoeling in Bernadette's houding. Ze komt uit een vurige Republikeinse familie. Misschien had ik het hierbij wel moeten laten en niet verder moeten wroeten. Maar mijn journalistieke achtergrond dwong me om door te vragen.

'Waar was u gestationeerd?'

'In Dublin.'

'Ach, wij komen ook uit Dublin. Beviel die stad u?'

'Nee.'

'Och, wat vind ik dat nu jammer.'

Wij, Dubliners, zijn van nature nogal trots op die stad en wij willen graag dat vreemdelingen, en zelfs legertroepen, de kwaliteiten van onze stad waarderen.

Het eerste deel van de loopbaan van gewoon soldaat Price kwam er net uit als het laatste deel, heel, heel erg langzaam. Hij was in 1897 in Rhondda uit doodarme ouders geboren. Het leven was hard en vreugdeloos geweest. In 1914 was hij op zeventienjarige leeftijd bij het leger gegaan, meer om eten, kleding en een dak boven zijn hoofd te hebben dan uit vurige vaderlandsliefde. Hij had het nooit verder gebracht dan gewoon soldaat.

Twaalf maanden lang had hij in opleidingskampen gezeten toen anderen naar het front in Vlaanderen vertrokken, en in een depot van legergoederen in Wales. Eind 1915 was hij naar het garnizoen in Ierland overgeplaatst, ingekwartierd in de kille kazernes van Islandbridge, op de zuidelijke oever van de rivier de Liffey in Dublin.

Het moet daar, naar ik aanneem, wel een saai leven voor hem geweest zijn, genoeg voor hem om te verklaren dat hij Dublin maar niets vond. Kale kazerne-slaapzalen, zelfs voor die tijd, lage soldij en de eindeloze, zinloze sleur van knopen en laarzen poetsen, wacht lopen in vrieskoude nachten en in de stromende regen. En wat vrije tijd betreft . . . dat was op zo'n soldij ook niet veel soeps. Een pilsje in de kantine, weinig of geen contact met de katholieke bevolking. Hij was waarschijnlijk blij geweest dat hij na twee jaar werd overgeplaatst. Was hij eigenlijk wel eens blij of treurig ergens over, deze trage reus van een man?

'Gebeurde er dan nooit eens iets bijzonders?' vroeg ik hem ten einde raad.

'Een keer maar,' antwoordde hij ten leste.

'En wat was dat dan?'

'Een executie,' zei hij, opgaande in zijn soep.

Bernadette legde haar lepel neer en bleef stokstijf zitten. Er hing een kilte in de lucht. Alleen madame, die geen woord verstond en haar man, die te ongevoelig was, waren zich nergens van bewust. Ik had me er niet mee moeten bemoeien.

Er werden in die tijd tenslotte veel mensen geëxecuteerd. Gewone moordenaars werden op Mountjoy opgehangen. Opgehangen door gevangenisbewaarders. Zouden ze daar soldaten voor nodig hebben? En er werden ook Engelse soldaten geëxecuteerd, voor moord en verkrachting, volgens militair voorschrift na zitting van de krijgsraad. Zouden ze opgehangen of doodgeschoten worden? Ik wist het niet.

'Weet u nog wanneer dat geweest is, die executie?' vroeg ik.

Bernadette zat als versteend.

Meneer Price sloeg zijn klare blauwe ogen naar de mijne op. Toen schudde hij zijn hoofd. 'Lang geleden,' zei hij. Ik dacht, dat hij misschien loog, maar dat was niet zo. Hij was het domweg vergeten.

'Zat u in het vuurpeloton?' vroeg ik.

Hij nam zoals gebruikelijk de tijd om na te denken. Toen knikte hij.

Ik vroeg me af hoe het moest zijn om deel uit te maken van een vuurpeloton; om door het vizier van een geweer naar een ander mens te turen, die op twintig meter afstand aan een paal was vastgebonden; de witte vlek boven het hart eruit te pikken en de vizierkorrel strak op die levende man gericht te houden; op het commando de trekker over te halen, de knal te horen, het bonken van de terugstoot te voelen; de vastgebonden figuur onder het krijtwitte gezicht te zien schokken en in de touwen zakken. Dan terug te gaan naar de kazerne, het geweer schoon te maken en te gaan ontbijten. Goddank, dat ik dat nooit gekend had en nooit zou kennen.

'Probeer eens te bedenken wanneer dat was,' drong ik aan.

Hij probeerde het. Hij deed echt zijn best. De inspanning was bijna voelbaar. Eindelijk zei hij: 'In 1916. 's Zomers, geloof ik.'

Ik leunde voorover en raakte zijn arm aan. Hij sloeg zijn blik naar mij op. Er was geen ontwijking, alleen een geduldige vraag in te lezen.

'Weet u nog . . . denk nog eens goed na . . . wie die man was die u hebt doodgeschoten?'

Maar dat was te veel gevraagd. Hoe hij ook zijn best deed, het wilde hem niet invallen. Hij schudde tenslotte zijn hoofd.

'Lang geleden,' zei hij.

Bernadette stond abrupt op. Ze wierp even een geforceerd beleefd glimlachje naar madame.

'Ik ga naar bed,' zei ze tegen mij. 'Maak het niet te lang.'

Ik ging twintig minuten later naar boven. Meneer Price zat in zijn leunstoel bij de haard. Hij rookte niet, hij las niet. Hij zat in de vlammen te staren. Heel tevreden.

De kamer was in het donker gehuld en ik had geen zin om met de olielamp te prutsen. Ik kleedde me bij het licht van de maan dat door het raam kwam uit en stapte in bed.

Bernadette lag roerloos, maar ik wist dat ze wakker was. En waar ze aan dacht. Aan hetzelfde als ik. Aan die zonnige lente van 1916, toen op Paaszondag een groepje mannen, aanhangers van de destijds onpopulaire idee dat Ierland van Engeland onafhankelijk moest zijn, het postkantoor en een aantal andere grote gebouwen hadden bestormd.

Aan de honderden soldaten die werden aangevoerd om ze met geweer- en artillerievuur te verdrijven – behalve gewoon soldaat Price in zijn stomvervelende Islandbridge kazerne, anders had hij het voorval wel vermeld. Aan de rook en het lawaai, aan het puin in de straten, de doden en stervenden, Ieren en Engelsen. En aan de opstandelingen, die tenslotte verslagen en gehoond uit het postkantoor werden weggevoerd. Aan die vreemde groen-oranje-witte driekleur die ze op het dak van het gebouw hadden gehesen en minachtend naar beneden werd gehaald om door de Engelse vlag te worden vervangen.

Het wordt nu natuurlijk niet op school onderwezen, omdat het niet tot de noodzakelijke mythen behoort, maar ondanks dat is het een feit; toen de opstandelingen geketend naar de haven van Dublin moesten marcheren, onderweg naar de gevangenis in Liverpool over het water, werden ze door de Dubliners en voornamelijk de katholieke armen onder hen, met drek en vloeken overladen, omdat ze zoveel ellende over Dublin hadden gebracht.

Daar zou het waarschijnlijk mee geëindigd zijn, als de Engelse autoriteiten niet dat domme, krankzinnige besluit hadden genomen, om tussen 3 en 12 mei zestien leiders van de opstand in de Kilmainhamgevangenis te executeren. Nog geen jaar later was de stemming volkomen omgeslagen; bij de verkiezingen van 1918 had de onafhankelijkheidspartij het hele land veroverd en na twee jaar guerrilla-oorlog werd eindelijk de onafhankelijkheid verleend.

Bernadette naast mij bewoog zich even. Ze lag verstard in de ban van haar gedachten. Ik wist waar ze aan dacht; aan die kille mei-ochtenden als de met spijkers beslagen laarzen van de vuurpelotons opklonken, als ze in de duisternis voor zonsopgang van de kazerne naar de gevangenis marcheerden; aan de soldaten, die op de grote binnenplaats van de gevangenis geduldig stonden te wachten tot de gevangene naar buiten naar de paal tegen de muur werd geleid.

En aan haar oom. Ze zou in die warme nacht aan hem denken. De oudste broer van haar vader, aanbeden maar dood voor ze geboren was, die weigerde Engels tegen de cipiers te spreken en tegen de krijgsraad uitsluitend Iers sprak, en met geheven hoofd en opgestoken kin over de lopen staarde, als de zon boven de horizon uitkwam. En aan de anderen . . . O'Connell, Clarke, MacDonough en Padraig Pearse. Ja, natuurlijk, Pearse.

Ik gromde van ergernis over mijn eigen domheid. Dit was allemaal onzin. Er waren zoveel anderen, verkrachters, plunderaars, moordenaars, deserteurs van het Engelse leger, eveneens na krijgsraad doodgeschoten. Zo ging dat in die tijd. Er was een hele reeks misdaden waar de doodstraf op stond. En bovendien was het oorlog, die nog meer doodstraffen eiste.

' 's Zomers,' had Price gezegd. Dat was een lange periode. Van mei tot september. Het waren grote gebeurtenissen in de geschiedenis van een klein land geweest, in dat voorjaar van 1916. Voor slome soldaten is er in die gebeurtenissen geen rol weggelegd. Ik zette de gedachten uit mijn hoofd en ging slapen.

Wij werden vroeg wakker, want de zon scheen vlak na zonsopgang door het raam en het gevogelte op het erf maakte genoeg lawaai om de doden te doen opstaan. We wasten ons en ik schoor me zo goed mogelijk, in het water uit de kan en gooide de rest uit het raam op het erf. Dat was goed voor de uitgedroogde aarde. We trokken onze kleren van de vorige dag aan en gingen de trap af.

Madame Price had voor ieder van ons kommen dampende koffie met melk op de keukentafel gezet, met brood en witte boter, die we ons goed lieten smaken. Haar man was nergens te bekennen. Ik had mijn koffie nog niet op, of madame Price wenkte me om naar de voorkant van de boerderij te gaan. Daar stond op het door koeien geplette voorerf van de weg af mijn Triumph met een man, die de eigenaar van de garage bleek te zijn. Ik dacht dat meneer Price me wel even zou helpen bij het vertalen, maar hij was nergens te zien.

De monteur gaf een radde uiteenzetting, waar ik geen woord van verstond op één na: *'carburateur'* herhaalde hij steeds maar en deed toen alsof hij door een pijp blies om een vuiltje te verwijderen. Zoiets doodeenvoudigs was het dus. Ik nam me voor een cursus in eenvoudige autotechniek te gaan volgen. Hij vroeg duizend francs, wat in die tijd voordat De Gaulle de nieuwe franc uitvond ongeveer een pond sterling was. Hij overhandigde de autosleuteltjes en nam afscheid.

Ik rekende af met madame Price, eveneens duizend francs (je kon in die tijd werkelijk spotgoedkoop in het buitenland vakantie houden) en riep Bernadette. We borgen de reistas op en stapten in. De motor sloeg direct aan. Met een laatste zwaai verdween madame haar huis in. Ik reed de auto een keer achteruit en draaide toen de autoweg op, die voor de boerderij langs liep.

Ik was net op de weg gekomen, toen ik werd tegengehouden door een luid gebrul. Door het open raampje van mijn plaats achter het stuur zag ik meneer Price over het erf naar ons toe komen rennen, zijn grote bijl als een tandenstoker om zijn hoofd zwaaiend.

Mijn mond zakte open, want ik dacht dat hij op het punt stond ons aan te vallen. Hij had de auto in stukjes kunnen hakken als hij gewild had. Toen zag ik, dat zijn gezicht was opgeklaard van blijdschap. Het geschreeuw en de zwaaiende bijl waren bedoeld om onze aandacht te trekken voor we wegreden.

Hijgend kwam hij voor het raampje en zijn vollemaansgezicht

verscheen in de opening.

'Het is me te binnen geschoten,' zei hij, 'het is me te binnen geschoten.'

Ik was van mijn stuk gebracht. Hij straalde als een kind dat iets
heel bijzonders heeft gedaan om zijn ouders een plezier te doen.

'Te binnen geschoten?' vroeg ik.

Hij knikte. 'Weer ingevallen,' herhaalde hij. 'Wie het was die ik
die ochtend heb doodgeschoten. Het was een dichter die Pearse
heette.'

Bernadette en ik zaten in stomheid geslagen, roerloos met
strakke gezichten zonder enige reactie hem aan te staren. De blijdschap trok uit zijn gezicht weg. Hij had zo zijn best gedaan om ons
een genoegen te doen en had gefaald. Hij had mijn vraag heel serieus opgevat en had de hele nacht zijn arme hersens gepijnigd op
zoek naar een stukje informatie, dat voor hem al helemaal zonder
betekenis was. Tien tellen tevoren was het eindelijk na zoveel inspanning in hem opgekomen. Hij had ons nog net op tijd te pakken gekregen en nu staarden wij hem aan zonder uitdrukking of
woorden.

Zijn schouders zakten naar voren. Hij richtte zich op, draaide
zich om en liep naar zijn blokken brandhout achter het schuurtje.
Even later hoorde ik het bonkende ritme opnieuw beginnen.

Bernadette zat door de voorruit naar buiten te turen. Ze was zo
wit als een doek, met opeengeknepen lippen. Ik had een beeld
voor de geest van een grote houthakkersjongen uit het Rhondda-
dal, die zoveel jaar geleden één geweer en een salvo scherpe patronen bij de foerier ging halen in een kazerne in Islandbridge.

Bernadette deed haar mond open. 'Wat een onmens,' zei ze.

Ik keek naar het erf aan de overkant waar de bijl omhoog rees
en daalde, vastgehouden door een man, die met een enkel schot
een oorlog op gang had gebracht en een natie op de weg naar onafhankelijkheid.

'Nee, meisje,' zei ik, 'geen onmens. Gewoon een soldaat die zijn
plicht deed.'

Ik schakelde en we gingen op weg naar Bergerac.

Een zorgvuldig man

Timothy Hanson was iemand die de levensproblemen rustig en vastberaden tegemoet trad. Hij ging er prat op dat deze aanpak van eerst de dingen rustig te analyseren, vervolgens de beste mogelijkheid te kiezen en tenslotte welbewust op het doel af te gaan, hem in de bloei van zijn rijpere leeftijd de rijkdom en status hadden gebracht die hij nu genoot.

Op die frisse ochtend in april stond hij boven aan de stoep van het huis in Devonshire Street, het hart van de medische elite van Londen en dacht over zichzelf na, terwijl de glimmende zwarte deur zich eerbiedig achter hem sloot.

De consulterend geneesheer, een oude vriend van hem, die al jaren lang zijn lijfarts was, zou ook voor een vreemde een toonbeeld van bezorgdheid en medeleven zijn geweest. Voor een vriend vond hij het nog veel moeilijker. Het was voor hem kennelijk pijnlijker geweest dan voor zijn patiënt.

'Timothy, ik heb in mijn hele loopbaan maar driemaal zulk treurig nieuws hoeven overbrengen,' had hij gezegd, met zijn vlakke handen op de map met röntgenfoto's en rapporten voor hem. 'Neem asjeblieft van mij aan, dat dit de afschuwelijkste ervaring in het leven van een medicus is.'

Hanson had te verstaan gegeven dat hij dit onmiddellijk aannam.

'Als je niet de man geweest was waar ik je voor aanzie, dan was ik misschien in de verleiding geweest je wat voor te liegen,' zei de dokter.

Hanson had hem bedankt voor het compliment en de openhartigheid.

De consulterend geneesheer had hem persoonlijk naar de drempel van de spreekkamer begeleid. 'Als er iets is . . . ik weet dat het banaal klinkt . . . maar je weet wat ik bedoel . . . als ik iets voor je kan doen . . .'

Hanson had de dokter bij de bovenarm gepakt en tegen zijn vriend geglimlacht. Dat was alles geweest wat nodig was.

De receptionist in de witte jas had hem naar de deur gebracht en hem uitgelaten. Daar stond Hanson nu en hij haalde eens diep adem. De lucht was koel en zuiver. De noordoostenwind had de stad gedurende de nacht schoongeveegd. Van de bovenste treden keek hij in de straat met stille deftige huizen, nu voornamelijk kantoren van financiële experts, dure advocatenfirma's, en spreekkamers van particuliere specialisten.

Op het trottoir liep een jonge vrouw op hoge hakken kittig naar Marylebone High Street. Ze zag er leuk en fris uit, met glanzende ogen en een roze blos op haar koude wangen. Hanson ving even haar blik op en wierp haar in een opwelling een glimlach toe met een knikje van zijn grijze hoofd. Ze trok een verbaasd gezicht en toen drong het tot haar door dat zij hem net zo min kende als hij haar. Ze had een eerbetoon ontvangen, geen groet. Ze glimlachte terug en stapte door, nog iets meer met haar heupen wiegend. Richards, de chauffeur, deed alsof hij niets in de gaten had, maar hij had alles gezien en keek goedkeurend. Hij stond bij de achterkant van de Rolls te wachten.

Hanson daalde de stoep af en Richards trok het portier open. Hanson stapte in en installeerde zich behaaglijk in de warmte daarbinnen. Hij trok zijn jas uit, vouwde hem zorgvuldig op, legde hem op de bank naast hem en legde zijn zwarte hoed erop. Richards ging op zijn plaats achter het stuur zitten.

'Naar kantoor, meneer Hanson?' vroeg hij.

'Naar Kent,' zei Hanson.

De Silver Wraith was zuidwaarts Great Portland ingedraaid, en op weg naar de rivier, toen Richards iets durfde vragen.

'Niets mis met de oude rikketik, meneer?'

'Nee,' zei Hanson, 'die blijft maar doorpompen.'

Er mankeerde inderdaad niets aan zijn hart. In dat opzicht was hij zo sterk als een os. Maar dit was niet het tijdstip of de plaats om met zijn chauffeur over de krankzinnig onverzadigbare cellen die zijn ingewanden wegvraten te praten. De Rolls snelde langs het beeld van Eros op Piccadilly Circus en voegde zich in de verkeersstroom over Haymarket.

Hanson leunde achterover en keek naar de bekleding van het dak. Zes maanden lijken waarschijnlijk een eeuwigheid, dacht hij, als je net tot gevangenisstraf bent veroordeeld, of met twee gebroken benen naar het ziekenhuis bent gebracht. Maar als dat het enige is dat je nog hebt, lijkt het niet zo lang. Helemaal niet lang.

De laatste maand zou natuurlijk opname in het ziekenhuis

nodig zijn, had de arts gezegd. Natuurlijk; als de toestand heel ernstig werd. En dat werd hij. Maar er waren pijnstillende middelen, nieuwe, krachtig werkende verdovende middelen . . .

De limousine sloeg linksaf Westminster Road Bridge in en reed de brug over. Aan de overkant van de Thames zag Hanson de roomkleurige kolos van County Hall op hem afkomen.

Hij was, zo hield hij zichzelf voor, geen onvermogend man, ondanks de door het socialistische regime ingevoerde hoge belastingtarieven. Zo had hij dat City-dealerschap in zeldzame kostbare munten; een gevestigde zaak, gerespecteerd in het vak en eigenaar van het gebouw waarin hij zijn kantoren had. En het was helemaal zijn eigendom, zonder medefirmanten en zonder aandeelhouders.

De Rolls was de Elephant and Castle-rotonde gepasseerd, in de richting van Old Kent Road. De gecultiveerde deftigheid van Marylebone hadden ze reeds lang achter zich gelaten, evenals de commerciële welvaart van Oxford Street en de tweelingzetels van macht in Whitehall en County Hall, aan beide zijden van Westminster Bridge. Voorbij de Elephant werd de omgeving armelijker en misdeeld, een deel van de strook van de stadsprobleemwijken tussen de rijkdom en de macht van het centrum en de keurige zelfvoldaanheid van de forenzen-voorsteden.

Hanson zag in een cocon van een auto van £ 50 000 op een autoweg van £ 1 000 000 per kilometer autoweg de vermoeide oude huizen voorbij glijden. Hij dacht vol liefde aan het prachtige landhuis in Kent, waarnaar ze op weg waren, temidden van acht hectare geschoren parkland, begroeid met eike-, beuke- en lindebomen. Hij vroeg zich af wat daarmee gebeuren zou. Dan was er de grote flat in Mayfair, waar hij in de week wel eens een nacht overbleef, als hij ertegenop zag de reis naar Kent te ondernemen, en waar hij buitenlandse kopers kon ontvangen in een sfeer die wat minder formeel was dan in een hotel; een omgeving waarin men zich wat losser voelde was bevorderlijk voor het afsluiten van voordelige handelscontracten.

Buiten de zaak en de twee onroerend-goed-eigendommen was er nog zijn particuliere muntenverzameling, in de loop der jaren met liefdevolle zorg opgebouwd; en de portefeuille van effecten en aandelen, om niet te spreken over de depositorekeningen op verschillende banken en bovendien de auto waar hij nu in reed.

Deze stopte plotseling voor een voetgangersoversteek in een

meer armoedig gedeelte van Old Kent Road. Richards klakte even met zijn tong van ergernis. Hanson keek uit het raampje. Onder leiding van vier nonnen stak een sliert kleine kinderen de weg over. Twee nonnen liepen voorop en de andere twee vormden de achterhoede. Aan het eind van de rij was een jongetje midden op de oversteek blijven staan en hij stond met onverholen belangstelling naar de Rolls Royce te kijken.

Hij had een rond brutaal gezichtje met een mopsneus; een petje met de initialen 'St B' erop stond schuin op zijn verwarde haar; één kous zat om zijn enkel gerimpeld, het elastiek om hem mee op te houden bewees ergens anders ongetwijfeld een betere dienst als vitaal onderdeel van een catapult. Hij keek op en kreeg het deftige zilvergrijze hoofd in het oog, dat van achter het gekleurde glas naar hem loerde. Zonder te aarzelen trok het schooiertje zijn gezicht in een grimas, zette de duim van zijn rechterhand aan zijn neus en flapperde uitdagend met de andere vingers.

Zonder een spier te vertrekken plaatste Timothy Hanson de duim van zijn eigen rechterhand tegen zijn neus en maakte tegen de jongen precies hetzelfde gebaar terug. Richards ving in het achteruitkijkspiegeltje het gebaar waarschijnlijk op, maar hij staarde na de flikkering van een wenkbrauw recht voor zich. De jongen op de oversteek trok een verbouwereerd gezicht. Toen liet hij zijn hand zakken en grijnsde breed. Direct daarop werd hij door een zenuwachtige non van de weg afgevoerd. De sliert werd nu opnieuw geformeerd en marcheerde naar een groot grijs gebouw dat een eindje van de weg achter een hek stond. Verlost van zijn onbeschaamde hindernis zoefde de Rolls vooruit op weg naar Kent.

Een half uurtje later hadden ze de laatste verspreide voorsteden achter zich gelaten en strekte de brede autobaan, de M20, zich voor hen uit. De krijtachtige North Downs verdwenen en ze reden de golvende heuvels en dalen van de tuin van Engeland binnen. Hansons gedachten zwierven terug naar zijn vrouw, die nu tien jaar dood was. Het was een gelukkig huwelijk geweest, heel erg gelukkig zelfs, maar het was kinderloos gebleven. Misschien hadden ze kinderen moeten adopteren; ze hadden er vaak genoeg over gedacht. Zij was enig kind geweest en haar ouders waren ook al lang overleden. Aan zijn kant van de familie bleef alleen zijn zuster over, aan wie hij een hartgrondige hekel had, niet minder dan aan haar afgrijselijke echtgenoot en hun al even onsympathieke zoon.

Ten zuiden van Maidstone kwam er een eind aan de autoweg en een paar kilometer verder sloeg Richards bij Harrietsham de hoofdweg af en reed zuidwaarts naar dat stukje ongerepte bongerds, akkers, bossen en hoptuinen, dat de Weald wordt genoemd. In deze streek met zijn lieflijke landschap had Timothy Hanson zijn landhuis.

Dan had je ook nog de minister van Financiën, die de baas van alle geldmiddelen in zijn land was. Die zou ook zijn portie willen hebben, dacht Hanson, en dat zou een flinke portie zijn ook. Want er was geen twijfel mogelijk; op de een of andere manier moest hij na jaren van uitstel een testament gaan maken.

'U kunt nu met meneer Pound spreken, meneer,' zei de secretaresse.

Timothy Hanson stond op en trad het kantoor binnen van Martin Pound, de oudste firmant van de advocatenfirma Pound, Gogarty.

De advocaat stond van achter zijn bureau op om hem te begroeten. 'Dag, beste Timothy, blij je weer eens te zien.'

Zoals veel rijke mannen van middelbare leeftijd had Hanson lang geleden persoonlijk vriendschap gesloten met zijn vier meest gewaardeerde adviseurs; advocaat, effectenmakelaar, accountant en arts en noemde ze allemaal bij de voornaam. De twee mannen gingen zitten.

'Wat kan ik voor je doen?' vroeg Pound.

'Je dringt er nu al enige tijd op aan dat ik een testament maak, Martin,' zei Hanson.

'Inderdaad,' zei de advocaat, 'een heel verstandige voorzorgsmaatregel, die al veel te lang nagelaten is.'

Hanson stak zijn hand in zijn diplomatenkoffertje en haalde er een dikke bruine envelop uit, die met een grote klodder rode lak verzegeld was. Hij overhandigde hem over het bureau aan de verbaasde advocaat.

'Asjeblieft,' zei hij.

Pound nam het pakje aan met een frons van verwarring op zijn anders zo effen gezicht. 'Ik hoop wel, Timothy . . . in het geval van een groot landgoed als dat van jou . . .'

'Maak je geen zorgen,' zei Hanson. 'Het is wel degelijk door een advocaat in orde gemaakt en in bijzijn van getuigen behoorlijk ondertekend. Het zit waterdicht in elkaar; er staat niets in dat enige reden kan geven om het te betwisten.'

'Juist,' zei Pound.

'Trek het je niet aan, beste vriend. Ik weet dat je je afvraagt, waarom ik jou niet verzocht heb het in orde te maken, maar in plaats daarvan naar een firma in de provincie ben gegaan. Daar had ik mijn reden voor. Vertrouw daar asjeblieft op.'

'Vanzelfsprekend,' zei Pound haastig. 'Daar twijfel ik niet aan. Wil je dat ik het veilig voor je bewaar?'

'Ja, graag. En dan nog iets. Ik heb je daarin gevraagd mijn enige executeur te zijn. Ik weet, dat je het ongetwijfeld liever eerst had willen zien, maar ik kan je op mijn woord verzekeren dat de taak van de executeur niets bevat dat een gewetensbezwaar voor je kan zijn, noch persoonlijk, noch uit hoofde van je beroep. Wil je het op je nemen?'

Pound woog het zware pakketje in zijn hand.

'Ja,' zei hij. 'Dat beloof ik je. In ieder geval twijfel ik er niet aan dat we over een tijd praten die nog ver weg is. Je ziet er fantastisch uit. Waarschijnlijk overleef je me wel, laten we eerlijk zijn. En wat doe je dan?'

Hanson pareerde het grapje in de geest waarin het gemaakt werd. Tien minuten later stond hij in het vroege meizonnetje op Gray's Inn Road.

Tot half september had Timothy Hanson het net zo druk als al jarenlang het geval was geweest. Hij reisde een paar maal naar het vasteland en nog vaker naar de City van Londen. Weinig mensen die voor hun tijd sterven, zijn in de gelegenheid al hun ingewikkelde zaken in orde te maken en Hanson had zich vast voorgenomen ervoor te zorgen, dat alles precies zo gebeurde als hij het wenste.

Op 15 september verzocht hij Richards even bij hem in het huis te komen. De chauffeur en klusjesman, die met zijn vrouw al twaalf jaar voor Hanson zorgde, trof zijn werkgever in de bibliotheek aan.

'Ik moet je een nieuwtje vertellen,' zei Hanson. 'Ik ben van plan aan het eind van het jaar met pensioen te gaan.'

Richards was verbaasd, maar hij liet het niet blijken. Hij nam aan dat er nog meer kwam.

'En verder ben ik van plan naar het buitenland te gaan,' zei Hanson, 'en in een veel kleiner huis te gaan wonen, ergens in de zon.'

O, dat was het dus, dacht Richards. Maar toch geschikt van die ouwe om hem ruim drie maanden opzegtermijn te geven. Maar gezien de stand van de arbeidsmarkt zou hij toch alvast moeten beginnen uit te kijken; het ging niet alleen om zijn betrekking, maar ook het mooie villaatje dat erbij hoorde.

Hanson haalde een dikke envelop van de schoorsteenmantel en stak hem naar Richard uit, die hem zonder te begrijpen aannam.

'Ik ben bang,' zei Hanson, 'dat dit betekent, dat je naar een nieuwe betrekking zult moeten uitkijken, als de toekomstige bewoners je niet in dienst willen houden en mevrouw Richards ook.'

'Ja, meneer,' zei Richards.

'Ik zal voor ik vertrek natuurlijk uitstekende referenties geven,' zei Hanson. 'Om zakelijke redenen zou ik het wel erg prettig vinden als je er niet in het dorp over wilt spreken, of eigenlijk helemaal tegen niemand, tot het echt noodzakelijk wordt. En ik zou graag willen dat je niet voor, zeg 1 november, ander werk zou willen zoeken. Kortom, ik wil dat het nieuws van mijn voorgenomen vertrek voorlopig nog niet bekend wordt.'

'Uitstekend, meneer,' zei Richards. Hij hield nog steeds de dikke envelop in zijn hand.

'Dat brengt mij op de laatste kwestie,' zei Hanson, 'de envelop. Jij en mevrouw Richards zijn de afgelopen twaalf jaar goed en trouw voor mij geweest. Ik wil je zeggen, dat ik dat erg op prijs stel en altijd heb gedaan.'

'Dank u wel, meneer.'

'Ik zou het prettig vinden als je na mijn vertrek naar het buitenland nog net zo trouw aan mijn nagedachtenis bent. Ik begrijp dat mijn verzoek om de eerste zes weken geen werk te zoeken, veel last kan bezorgen. Afgezien daarvan wil ik je op de een of andere manier graag helpen in je toekomstige leven. In deze envelop zit een bedrag van 10 000 pond in gebruikte en niet achterhaalbare twintigpondsbiljetten.'

Richards kon zich niet langer beheersen. Zijn wenkbrauwen gingen omhoog.

'Dank u wel, meneer,' zei hij.

'Graag gedaan,' zei Hanson. 'Ik heb het in de ongebruikelijke vorm van contant geld gedaan, omdat ik er net als de meeste mensen een hekel aan heb, grote porties van mijn verdiende geld aan die lui van de belasting te geven.'

'Wat u zegt,' zei Richards volmondig. Hij kon de dikke pakken bankpapier door de envelop heen voelen.

'Omdat je over een dergelijk bedrag misschien schenkingsrecht zou moeten betalen, zou ik je aanraden het niet op een bank te zetten, maar op een veilige plaats te bewaren en in kleine bedragen uit te geven, om niet de aandacht te trekken. Het is bestemd om jullie beiden over een paar maanden in je nieuwe leven te helpen.'

'U kunt gerust zijn, meneer,' zei Richards. 'Ik weet hoe de zaken staan. Iedereen is er tegenwoordig mee bezig. En mag ik u heel hartelijk bedanken uit naam van ons allebei.'

Richards liep in een opgewekte stemming over het grint om weer verder te gaan met het poetsen van de nieuwe Rolls Royce. Hij had altijd een behoorlijk salaris verdiend en met het gratis villaatje had hij een aardig appeltje voor de dorst weten te sparen. Met dit nieuwe buitenkansje was het misschien niet eens nodig om weer naar de steeds meer krimpende arbeidsmarkt te gaan. Hij dacht aan dat pensionnetje in Porthcawl in zijn geboorteland Wales, dat hij en Megan net die afgelopen zomer hadden ontdekt . . .

Op de ochtend van 1 oktober kwam Timothy nog voordat de zon al helemaal boven de horizon was gekomen uit zijn slaapkamer beneden. Het duurde nog minstens een uur, voor mevrouw Richards zou komen om zijn ontbijt klaar te maken en met het schoonmaken te beginnen.

Hij had weer een afschuwelijke nacht gehad en de pillen, die hij in het afgesloten laatje van zijn nachtkastje bewaarde, begonnen steeds meer hun strijd te verliezen tegen de pijnscheuten die zijn onderbuik verscheurden. Hij zag er grijs en weggetrokken uit en veel ouder dan hij was. Hij begreep wel, dat er niets meer aan te doen was. Het was tijd.

Hij had tien minuten nodig voor het schrijven van een briefje aan Richards, waarin hij zich verontschuldigde voor het leugentje om bestwil van veertien dagen geleden en het verzoek om onmiddellijk Martin Pound thuis op te bellen. Hij legde die brief in het oog lopend op de vloer bij de drempel van de bibliotheek, waar het tegen het donkere parket afstak. Toen belde hij Richards op en zei tegen de slaperige stem die antwoordde, dat mevrouw Richards niet zo vroeg het ontbijt hoefde te komen klaarmaken, maar dat hij wel over een half uur de chauffeur in de bibliotheek nodig had.

Nadat hij hier klaar mee was, haalde hij uit het afgesloten bureau het jachtgeweer, waarvan hij vijfentwintig centimeter van de loop had afgezaagd om het wat hanteerbaarder te maken. Hij laadde het met twee patronen van zwaar kaliber en trok zich in de bibliotheek terug.

Tot de laatste snik toe angstvallig precies, legde hij eerst een dikke paardedeken in zijn dierbare noppenlederen vleugelstoel, met het idee dat hij nu van iemand anders was. Hij ging met het geweer in zijn arm in de stoel zitten. Hij wierp nog een laatste blik in het rond, naar zijn rijen geliefde boeken en naar de kastjes, die eens zijn mooie verzameling zeldzame munten hadden bevat. Toen draaide hij de lopen tegen zijn borst, tastte naar de trekker, haalde diep adem en schoot zich door het hart.

Martin Pound sloot de deur naar de vergaderzaal die aan zijn kantoor grensde en nam aan het hoofd van de lange tafel plaats. Halverwege de tafel zat rechts van hem mevrouw Armitage, de zuster van zijn vriend en cliënt, en van wie hij wel eens gehoord had. Naast haar zat haar man. Ze waren allebei in het zwart. Aan de overkant van de tafel zat hun zoon Tarquin, een sloom, verveeld jongmens van in de twintig, die helemaal verdiept in de inhoud van zijn kokkerd van een neus scheen te zijn. Meneer Pound zette zijn bril recht en richtte zich tot het drietal.

'U zult begrijpen, dat wijlen Timothy Hanson mij verzocht heeft als enig executeur van zijn testament op te treden. Onder normale omstandigheden zou ik in deze hoedanigheid direct na het bericht van zijn dood het testament geopend hebben, om na te gaan of het instructies bevatte, die van onmiddellijk belang waren zoals bijvoorbeeld de voorbereiding van zijn begrafenis.

'Had u het toch al niet zelf geschreven?' vroeg Armitage senior.

'Nee,' antwoordde Pound.

'Dus u weet ook niet wat er in staat?' vroeg Armitage junior.

'Nee,' zei Pound, 'wijlen de heer Hanson heeft zulk een opening van het testament voorkomen, door op de schoorsteenmantel van het vertrek waar hij is overleden een persoonlijk aan mij gerichte brief achter te laten. Daarin heeft hij een paar dingen uiteengezet, die ik nu op mijn beurt aan u over kan brengen.'

'Laten we opschieten met het testament,' zei Armitage junior.

Pound staarde hem zonder iets te zeggen koel aan.

'Rustig, Tarquin,' zei mevrouw Armitage vriendelijk.

Pound ging verder. 'In de eerste plaats heeft Timothy zichzelf niet gedood onder invloed van een geestelijke stoornis. Hij bevond zich namelijk in het laatste stadium van terminale kanker en wist dit reeds sinds april.'

'Arme kerel,' zei Armitage senior.

'Ik heb later die brief aan de lijkschouwer van het graafschap Kent laten zien en deze is door zijn lijfarts en de sectie bevestigd. Hierdoor was het mogelijk de formaliteiten, zoals de overlijdensakte, de gerechtelijke lijkschouwing en de toestemming voor de begrafenis af te wikkelen. Ten tweede heeft hij bepaald dat hij niet wenste dat het testament geopend en voorgelezen werd, voordat deze formaliteiten waren afgehandeld. Tenslotte heeft hij bepaald dat in plaats van langs schriftelijke weg, het testament officieel moest worden voorgelezen, in tegenwoordigheid van zijn enig overlevende familielid, zijn zuster mevrouw Armitage, haar echtgenoot en haar zoon.'

De drie anderen in het vertrek keken rond met stijgende en allesbehalve diepbedroefde verbazing.

'Maar wij zijn de enigen hier,' zei Armitage junior.

'Precies,' zei Pound.

'Dan moeten wij dus de enige begunstigden zijn,' zei zijn vader.

'Dat hoeft niet zo te zijn,' zei Pound. 'Uw aanwezigheid hier vandaag is slechts overeenkomstig de brief van wijlen mijn cliënt.'

'Als hij ons soms een streek levert . . .' zei mevrouw Armitage onheilspellend. Haar mond vormde, als uit jarenlange gewoonteoefening, een dunne rechte lijn.

'Zullen we doorgaan met het testament?' stelde Pound voor.

'Goed, 'zei Armitage junior.

Martin Pound nam een smalle briefopener en sneed zorgvuldig het ene eind van de dikke envelop in zijn hand open. Daaruit haalde hij een andere omvangrijke envelop en een document van drie pagina's, dat aan de linker kantlijn met smal groen plakband was samengevoegd. Pound legde de dikke envelop opzij en deed de gevouwen velletjes open. Hij begon te lezen.

'Dit is de laatste wil van mij, Timothy John Hanson, van . . .'

'Dat weten we allemaal wel,' zei Armitage senior.

'Schiet nu maar op,' zei mevrouw Armitage.

Pound keek hen allebei met een afkeurende blik over de rand van zijn bril aan. Hij vervolgde: 'Ik verklaar, dat mijn testament moet worden uitgevoerd in overeenstemming met de Engelse wet. Twee, hierbij herroep ik alle vorige testamenten en testamentaire maatregelen door mij gemaakt . . .'

Armitage junior slaakte een luide zucht van iemand, wiens geduld te lang op de proef is gesteld.

'Drie, Ik benoem als executeur de volgende heer, een advocaat, en verzoek hem mijn onroerend goed te beheren en alle daarop verschuldigde belastingen te betalen en de bepalingen van dit, mijn testament uit te voeren, namelijk: Martin Pound van Pound, Gogarty. Vier, Ik verzoek mijn executeur op dit tijdstip van voorlezing de ingesloten envelop te openen, waarin hij een geldbedrag zal aantreffen, te gebruiken voor de kosten van mijn begrafenis en voor de voldoening van zijn honorarium voor zijn werkzaamheden en voor eventuele andere onkosten die de uitvoering van mijn wensen met zich meebrengt. Voor het geval dat er gelden van het ingesloten bedrag zouden overblijven, dan draag ik hem op zulke gelden aan een liefdadigheidsinstelling van eigen keuze te schenken.'

Pound legde het testament neer en pakte opnieuw zijn briefopener. Hij haalde uit de ongeopende envelop vijf pakjes bankbiljetten van £ 20, allemaal nieuw en met een bruin strookje eromheen, waarop stond dat het bedrag van elk bundeltje £ 1 000 bedroeg. Het was doodstil in het vertrek. Armitage junior was opgehouden met de verkenning van zijn neusgaten en staarde naar de stapel geld met de onverschilligheid van een bosgod die een maagd bespiedt. Martin Pound nam het testament weer op.

'Vijf, Ik verzoek mijn enige executeur, dat hij uit eerbied voor onze langdurige vriendschap, zijn uitvoerende taken op zich neemt op de dag volgende op mijn begrafenis.'

Pound keek weer over de rand van zijn bril.

'In het normale geval zou ik reeds een bezoek aan de zaak van de heer Hanson in de City en aan zijn andere bezittingen hebben gebracht, om mij ervan te vergewissen dat ze behoorlijk beheerd en onderhouden worden en dat er geen financiële schade voor de begunstigden kan ontstaan door verwaarlozing van de bezittingen,' zei hij. 'Ik heb echter zojuist officieel van mijn benoeming tot enig executeur vernomen, dus heb ik dat nog niet kunnen doen. Het blijkt nu, dat ik pas de dag na de begrafenis kan beginnen.'

'Maar,' zei Armitage senior, 'die verwaarlozing zou de waarde van het onroerend goed toch niet verminderen?'

'Dat zou ik niet kunnen zeggen,' antwoordde Pound, 'maar ik betwijfel het. De heer Hanson had uitstekende assistenten in zijn dealerschap in de City en ik ben ervan overtuigd dat hij het volste vertrouwen had dat zij de zaken goed zouden laten verlopen.'

'Maar kunt u dan maar niet beter toch aan de slag gaan?' vroeg Armitage.

'De dag na de begrafenis,' zei Pound.

'Nou, laten we die begrafenis dan maar zo snel mogelijk afhandelen,' zei mevrouw Armitage.

'Zoals u wenst,' antwoordde Pound. 'U bent tenslotte zijn naaste bloedverwant.' Hij las weer verder: 'Zes, ik geef aan . . .'

Hier pauzeerde Martin Pound even en knipperde met zijn ogen, alsof hij moeite had te lezen wat hij las. Hij slikte. 'Ik schenk aan mijn dierbare, liefhebbende zuster als universeel erfgename mijn gehele nalatenschap, in het vertrouwen, dat ze haar goede fortuin zal delen met haar beminnelijke echtgenoot Norman en hun innemende zoon Tarquin. Een en ander onderworpen aan de voorwaarden van paragraaf zeven.'

Iedereen was met stomheid geslagen. Mevrouw Armitage depte delicaat haar ogen met een batisten zakdoekje, niet zozeer om een traan weg te pinken, dan wel om de glimlach te verbergen, die aan haar mondhoek trok. Toen ze het zakdoekje wegnam keek ze even naar haar man en zoon met het air van een overjarige kip, die net haar achterste heeft opgetild om daaronder een massief gouden ei te zien liggen. De twee mannelijke Armitages zaten met open mond te kijken.

'Hoeveel was hij waard?' vroeg de oudste tenslotte.

'Ik zou het echt niet kunnen zeggen,' zei Pound.

'Och kom, dat weet u vast wel,' zei de zoon. 'Globaal. U hebt toch al zijn zaken behartigd.'

Pound dacht aan de onbekende notaris, die het testament in zijn hand had opgemaakt. 'Bijna allemaal,' zei hij.

'Nou dan . . .'

Pound verbeet zich. Hoe vreselijk hij de Armitages ook vond, zij waren de enige begunstigden van het testament van zijn overleden vriend. 'Ik zou zeggen, tegen de huidige marktprijzen, aangenomen dat de hele erfenis vrij van hypotheek en te gelde gemaakt is, tussen de 2,5 en 3 miljoen pond.

'Godallemachtig,' zei Armitage senior. Hij begon zich allerlei dingen voor te stellen. 'Hoeveel bedragen de successierechten?'

'Een vrij groot bedrag, vrees ik.'

'Hoeveel?'

'Voor zo'n grote erfenis zal voor het grootste deel het hoogste tarief gelden, vijfenzeventig procent. Door elkaar ongeveer vijfenzestig procent, denk ik.'

'Dan blijft er dus schoon een miljoen over?' vroeg de zoon.

'Het is maar een ruwe schatting, begrijpt u,' zei Pound hulpeloos. Hij dacht terug aan zijn vriend Hanson, zoals hij geweest was: beschaafd, geestig, een man van smaak. Waarom Timothy, waarom in hemelsnaam? 'Dat is paragraaf zeven,' verklaarde hij.

'Wat staat daarin?' wilde mevrouw Armitage weten, zich losrukkend uit haar dromerijen over haar maatschappelijke hoge vlucht.

Pound begon weer te lezen. 'Ik heb mijn hele leven een grote afschuw gekoesterd om eens onder de grond door wormen en allerlei ongedierte te worden verteerd,' las hij. 'Ik heb daarom een met lood beklede doodkist laten bouwen, die nu in de rouwkamer van Bennett en Gaines in de stad Ashford staat. Hierin wens ik aan mijn laatste rustplaats te worden toevertrouwd. Ten tweede heb ik nooit gewild dat ik op een of andere dag door een graafmachine of iets anders zou kunnen worden opgegraven. Als gevolg hiervan bepaal ik, dat ik in zee zal worden begraven, en wel dertig kilometer ten zuiden van de kust van Devon, waar ik eens als marine-officier heb gediend. Tenslotte bepaal ik, dat het mijn zuster en zwager zullen zijn, die uit eerbied voor de genegenheid die zij hun hele leven voor mij gekoesterd hebben, mijn lijkkist aan de oceaan toevertrouwen. En aan mijn executeur draag ik op, dat indien een van deze wensen niet vervuld zouden worden, of indien de afspraken niet zouden worden nagekomen door mijn begunstigden, alles wat hieraan vooraf is gegaan van nul en gener waarde zal zijn en ik opdracht geef dat mijn hele landgoed overgaat in handen van de minister van Financiën.'

Martin Pound keek op. Hij was inwendig verbaasd over de angsten en vreemde ideeën van zijn overleden vriend te vernemen, maar hij liet niets blijken.

'En nu, mevrouw Armitage, moet ik u officieel vragen: maakt u bezwaar tegen de wensen van wijlen uw broer, zoals deze in paragraaf zeven tot uitdrukking zijn gebracht?'

'Ik vind het stom,' zei ze. 'Begrafenis op zee, toe maar. Ik wist niet eens dat het toegestaan was.'

'Het komt hoogst zelden voor, maar het is niet onwettig,' antwoordde Pound. 'Ik heb nog van één ander geval gehoord.'

'Het zal wel duur zijn,' zei haar zoon, 'veel duurder dan een begrafenis op een kerkhof. En waarom eigenlijk geen crematie?'

'De kosten van de begrafenis hebben geen invloed op de erfenis,' zou Pound wrevelig. 'De kosten worden hieruit betaald.' Hij klopte op de £ 5 000 bij zijn elleboog. 'Maakt u bezwaar?'

'Nou, ik weet het niet . . .'

'Ik moet u er op wijzen, dat in dat geval de erfenis van nul en gener waarde is.'

'Wat betekent dat?'

'Dat de staat de hele poet krijgt,' snauwde haar man.

'Precies,' zei Pound.

'Geen bezwaar,' zei mevrouw Armitage. 'Maar ik vind het volslagen belachelijk.'

'Wilt u, als naaste bloedverwant, mij dan machtigen de nodige maatregelen te nemen?' vroeg Pound.

Mevrouw Armitage knikte kortaf.

'Hoe eerder hoe beter,' zei haar man. 'Dan kunnen we overgaan tot de verificatie van het testament.'

Martin Pound stond op. Hij had er genoeg van.

'Dat is dan de slotparagraaf van het testament. Het is op iedere bladzijde in tegenwoordigheid van twee getuigen getekend. Ik geloof dan ook, dat er verder niets te bespreken is. Ik zal de noodzakelijke maatregelen treffen en u op de hoogte stellen wat betreft het tijdstip en de plaats. Ik wens u goedemiddag.'

Het is geen pretje om op een dag midden in oktober ergens op het Engelse Kanaal te zitten, tenzij je een echte liefhebber bent. De heer en mevrouw Armitage wisten reeds voordat ze de havendam voorbij waren volkomen duidelijk te maken, dat ze dat absoluut niet waren.

Pound, die in de wind op het achterdek stond, om niet bij hen in de kajuit te hoeven zitten, zuchtte. Het had hem een week gekost, om alles te regelen, en hij had er een schip uit Brixham in Devon voor uitgezocht. De drie vissers, die de kusttreiler beheerden, hadden het ongewone karwei op zich genomen, nadat ze het over de prijs eens waren geworden en ze de verzekering hadden gekregen dat ze geen wet overtraden. Vissen in het Kanaal leverde dezer dagen ook niet veel op.

Er was een takelblok voor nodig geweest om de 500 kilo wegende lijkkist van het achtererf van de begrafenisondernemer in Kent op een éentons open bestelwagen te laden, die 's morgens de zwarte limousine de hele lange rit naar de zuidwestkust had gevolgd. De familie Armitage had zich de hele tijd zitten beklagen. In Brixham was de goederenwagen op de kade gestopt en was de lijkkist met de eigen davits van de treiler aan boord gehesen. Hij stond nu dwars op twee balken op het brede achterdek, met glanzend gewreven eikehout en glimmend gepoetst koper onder de herfstlucht.

Tarquin Armitage had het gezelschap in de limousine tot Brixham vergezeld, maar had na één blik op de zee besloten in de warme behaaglijkheid van een herberg in het stadje te blijven. Hij hoefde toch niet bij de begrafenis op zee tegenwoordig te zijn. De gepensioneerde aalmoezenier van de Koninklijke Marine, die Pound via de afdeling zielzorg van de admiraliteit had opgespoord, was al lang blij geweest met de royale vergoeding die hij voor zijn diensten zou ontvangen, en zat nu ook in de kleine kajuit, met een dikke overjas over zijn koorhemd.

De kapitein van de treiler kwam over het slingerende dek naar de plaats waar Pound stond. Hij haalde een zeekaart te voorschijn, die flapperde in de wind en wees met een vinger naar een plek, dertig kilometer ten zuiden van het vertrekpunt. Hij trok een wenkbrauw op. Pound knikte.

'Diep water,' zei de schipper. En met een knikje naar de lijkkist: 'Hebt u hem gekend?'

'Heel goed zelfs,' zei Pound.

De schipper bromde. Hij beheerde de kleine treiler met zijn broer en een neef; zoals de meeste van deze vissers waren ze allemaal familie van elkaar. Het waren alle drie tanige lieden uit Devon met donkerbruine handen en gezichten, waarvan de voorvaders reeds op deze verraderlijke wateren hadden gevist, toen Drake nog bezig was het verschil tussen grootzeil en bezaan te leren.

'Over een uur zijn we er,' zei hij en beende weer naar voren.

Toen ze op de bewuste plek kwamen, hield de kapitein het schip met de boeg in de harde wind, waar hij met stationair draaiende motor stil bleef liggen.

De neef pakte een lang stuk hout, bestaande uit drie aan elkaar bevestigde planken, met drie dwarsbalkjes aan de onderkant en ongeveer een meter breed, en legde hem met de vlakke kant naar boven over de stuurboordrailing. Hij kwam met het midden op de afgeschilferde houten rand terecht, als het steunpunt van een wipplank. De ene helft van de plank lag op het dek, de andere stak uit boven de deinende zee. Terwijl de broer van de schipper de motor van de davit bediende, maakte de neef haken onder de vier koperen handvatten van de lijkkist vast.

De motor begon harder te lopen en de davits trokken strak. De grote lijkkist werd van het dek opgetild. De mannen aan de lier hielden hem op een hoogte van een meter en de neef manoeuvreerde de eiken kist op de plank, draaide hem met het hoofdeinde naar de zee en knikte. De man aan de lier liet hem zakken, zodat hij pal boven de steunrailing kwam. Hij liet de lijn een eindje vieren en de lijkkist kwam krakend op de plank terecht, half in en half uit de treiler. Terwijl de neef hem vasthield, kwam de man aan de lier naar beneden om de haken los te maken en hielp de binnenboordzijde van de plank optillen tot hij horizontaal was. Hij was nu niet zwaar, omdat de kist in balans was. Een van de mannen keek naar Pound om leiding en deze ging de aalmoezenier en de familie Armitage uit hun schuilplaats roepen.

De zes mensen stonden zwijgend onder de laaghangende wolken; af en toe besproeid door een nevel van water door de wind van een passerende schuimkop gewaaid, zich schrap zettend tegen de deining en het stampen van het schip. Om hem recht te doen, de aalmoezenier hield het zo kort als met fatsoen maar enigszins mogelijk was, want zijn witte haar en zijn koorhemd wapperden in de wind om hem heen. Norman Armitage was eveneens blootshoofds en hij zag er verkild tot op het bot als een zieke papegaai uit. Wat hij van zijn overleden bloedverwant dacht, die nog geen meter van hem af in een omhulsel van kamfer, lood en eikehout besloten lag, kon men slechts gissen. Van mevrouw Armitage was tussen bontmantel, pelsmuts en wollen sjaal niets anders dan een puntneus te zien.

Martin Pound staarde naar de hemel terwijl de priester maar doorprevelde. Een enkele zeemeeuw zwenkte op de wind, ongevoelig voor vocht, koude en draaierigheid, onbewust van belastingen, testamenten en familieleden, zich zelf genoeg, volmaakt in zijn element, vrij en onafhankelijk. De advocaat keek weer naar de lijkkist en naar de oceaan erachter. Niet zo gek, dacht hij, als je gevoelig bent voor die dingen. Zelf had hij zich er nooit om bekommerd wat er na zijn dood met hem gebeurde en hij had nooit geweten dat Hanson zich daar zo druk om maakte. Maar als je er wel om gaf, was het geen slechte plaats om te liggen. Hij zag het eikehout overdekt met druppels die niet binnen konden dringen. Nou, daar zullen ze je nooit storen, Timothy, oude vriend, dacht hij. '. . . en beveel onze broeder Timothy John Hanson in Uw eeuwigdurende zorg aan, door de liefde van Jezus Christus, Onze Heer, Amen.'

Met een kleine schok drong het tot Pound door dat de aalmoezenier klaar was en hem afwachtend aankeek. Hij knikte naar de Armitages. De ene liep om de vissers heen die de plank in evenwicht hielden en legde een hand op de achterkant van de lijkkist. Pound knikte tegen de mannen. Langzaam tilden ze het achtereind van de plank omhoog en het andere eind dook naar de zee toe. Tenslotte begon de kist te schuiven. De twee Armitages gaven er een duw tegen. Hij schuurde even en gleed toen snel van het uiteinde af. De boot deinde op en neer. De kist kwam in de zijkant van een golf meer met een bonk dan met een plons. Toen was hij verdwenen. Onmiddellijk. Pound ving de blik van de schipper in het stuurhuis boven op. De man hief zijn hand op en wees in de richting vanwaar ze gekomen waren. Pound knikte weer. De motor begon te razen. De grote plank was al binnengehaald en opgeborgen. De heer en mevrouw Armitage en de aalmoezenier haastten zich naar de kajuit. Het begon harder te waaien.

Het was bijna donker toen ze de havendam in Brixham passeerden en de eerste lichtjes flikkerden in de huisjes achter de kade. De aalmoezenier had zijn eigen autootje in de buurt geparkeerd en was spoedig verdwenen. Pound rekende af met de schipper, die blij was in één middag net zoveel te hebben verdiend als na een week vissen op makreel. De mannen van de begrafenisonderneming wachtten met de limousine en een nogal berooide Tarquin Armitage. Pound gaf er de voorkeur aan de wagen aan hem over te laten en zelf met de trein naar Londen terug te gaan, in zijn eentje.

'U begint onmiddellijk met de berekening van de erfenis,' drong mevrouw Armitage met schrille stem aan. 'En met de verificatie van het testament. Die hele komedie zit ons tot hier.'

'U kunt er op vertrouwen, dat ik er geen gras over zal laten groeien,' zei Pound koeltjes. 'U hoort van mij.' Hij nam zijn hoed af en wandelde naar het station. Het zou geen zaak van lange adem zijn, vermoedde hij. Hij kende reeds de omvang en de bijzonderheden van de bezittingen van Timothy Hanson; die zouden ongetwijfeld perfect in orde zijn. Hanson was altijd een zeer zorgvuldig man geweest.

Pas half november voelde Pound zich weer in staat zich met de familie Armitage in verbinding te stellen. Hoewel alleen mevrouw Armitage als enige begunstigde op zijn kantoor bij Gray's Inn Road was uitgenodigd, kwam ze toch met haar man en zoon opdraven.

'Ik zit een beetje in een dilemma,' zei hij tegen haar.

'Hoe dat zo?'

'Over de bezittingen van uw overleden broer, mevrouw Armitage. Ik zal het even uitleggen. Als advocaat van de heer Hanson was ik reeds op de hoogte van de omvang en de ligging van de verschillende eigendommen die zijn bezit omvat, zodat ik ze in snel tempo achter elkaar kon onderzoeken.'

'Welke zijn het?' vroeg ze bruusk.

Pound liet zich niet opjagen of ergeren. 'In feite had hij zeven grote gebieden, waar zijn bezit uit bestond. Bij elkaar maakten die negenennegentig procent uit van alles wat hij bezat. Ten eerste was er het dealerschap van zeldzame en kostbare munten in de City. U weet wellicht, dat het een particuliere firma was met hem-

zelf als enige eigenaar. Hij heeft de zaak zelf opgericht en opgebouwd. Hij was via de firma tevens eigenaar van het gebouw
waarin het gevestigd is. Hij heeft dit, vlak na de oorlog toen de
prijzen laag waren, met behulp van een hypotheek gekocht. De
hypotheek was sindsdien al lang afbetaald; de firma bezat het
vrije eigendom en hij bezat de firma.'

'Wat voor waarde zou dit allemaal bij elkaar hebben?' vroeg
Armitage senior.

'Dat is het probleem niet,' zei Pound. 'Met inbegrip van het
gebouw, het dealerschap, de voorraad, de goodwill en de nog te
betalen huren van de drie andere firma's in het gebouw, op de
kop af één en een kwart miljoen pond.'

Armitage junior floot door zijn tanden en grinnikte.

'Hoe weet u dat zo precies?' vroeg Armitage.

'Omdat hij het voor die som verkocht heeft.'

'Wat heeft hij . . .?

'Drie maanden voor hij stierf, heeft hij na korte onderhandelingen de hele firma, met alles inbegrepen, aan een rijke Nederlandse handelaar verkocht, die er al jarenlang een oogje op had.
Het betaalde bedrag is wat ik net genoemd heb.'

'Maar hij heeft daar bijna tot aan zijn dood gewerkt,' voerde
mevrouw Armitage aan. 'Wie wist het nog meer?'

'Niemand,' zei Pound, 'zelfs het personeel niet. Bij het ver-
koopcontract is de koopakte van het gebouw door een notaris in
de provincie opgemaakt, die er – zeer terecht – verder niets over
heeft gezegd. Het overige deel van de verkoop was een privé-
overeenkomst tussen hem en de Nederlandse koper. Er waren
voorwaarden aan verbonden: het personeel van vijf man behoudt
hun baan en hij zou persoonlijk als enig directeur aanblijven tot
het eind van het jaar of tot zijn dood, wat maar het eerst kwam.
Natuurlijk meende de koper, dat dit een formaliteit was.'

'Hebt u die man gezien?' vroeg mevrouw Armitage.

'Meneer De Jong? Ja, een zeer goed bekend staande Amster-
damse muntenhandelaar van naam. En ik heb de documenten gezien, dat is allemaal volkomen in orde, absoluut legaal.'

'En wat heeft hij dan met het geld gedaan?' vroeg Armitage
senior.

'Dat heeft hij op een bank gezet.'

'Nou, dat is dan geen probleem,' zei de zoon.

'Zijn volgende eigendom was zijn landgoed in Kent, een schitterende bezitting, dat in een parklandschap van acht hectare ligt. Jongstleden juni heeft hij een hypotheek van vijfennegentig procent op het hele bezit genomen. Ten tijde van zijn dood had hij nog maar één kwartaal betaald. Bij zijn dood werd de bouwmaatschappij de voornaamste schuldeiser en heeft nu de koopakten in bezit genomen. Ook alweer juridisch volkomen in orde.'

'Hoeveel geld heeft hij ervoor gekregen, voor dat landgoed?' vroeg mevrouw Armitage.

'210 000 pond,' zei Pound.

'Die hij op de bank heeft gezet?'

'Ja. Dan was er nog zijn flat in Mayfair. Die heeft hij omstreeks dezelfde tijd bij privé-overeenkomst verkocht, waarvoor hij weer een andere notaris in de arm heeft genomen om de verkoopakte in orde te maken, voor 150 000. Die zijn ook op de bank gezet.'

'Dat is dan drie eigendommen. Wat nog meer?' vroeg de zoon.

'Behalve die drie eigendommen had hij een kostbare particuliere muntenverzameling. Deze is via de firma voor ruim een half miljoen pond, over een periode van verscheidene maanden, bij stukjes en beetjes verkocht. Maar de rekeningen daarvan werden helemaal apart bewaard en zijn in zijn brandkast in het landhuis aangetroffen, volkomen legaal en alle verkopen zorgvuldig genoteerd. Hij heeft al die bedragen steeds na iedere verkoop op de bank gezet. Zijn makelaar heeft volgens instructie zijn gehele portefeuille effecten en aandelen voor de eerste augustus verkocht. Op een na het laatst kwam zijn Rolls Royce. Die heeft hij voor 48 000 verkocht en in plaats daarvan een andere gehuurd. De leasing-firma heeft het voertuig weer teruggenomen. Tenslotte had hij op diverse banken een aantal deposito-rekeningen. Zijn totale bezit bedraagt, voor zover ik heb kunnen nagaan, iets meer dan drie miljoen pond sterling.'

'U wilt dus zeggen,' zei Armitage senior, 'dat hij voordat hij overleed, alle eigendommen die hij bezat opgevraagd en te gelde gemaakt, in contanten omgezet en op de bank gestort heeft, zonder het aan een sterveling te vertellen of ook maar enige verdenking te wekken bij hen die hem kenden of voor hem werkten?'

'Ik had het zelf niet beter kunnen uitdrukken,' erkende Pound.

'Nou, we hadden al die troep toch niet nodig,' zei Armitage

junior. 'We zouden het ook allemaal verkocht hebben. Hij heeft zijn laatste maanden besteed met uw werk voor u te doen. U telt alles bij elkaar op, betaalt de schulden, stelt de opbrengst vast en geeft ons het geld.'

'Ik vrees, dat ik dat niet kan doen,' zei mr Pound.

'Waarom niet?' Er klonk een schrille ondertoon van woede in de stem van mevrouw Armitage.

'Het geld, dat hij voor al die eigendommen gestort heeft . . .'

'Wat is daarmee?'

'Heeft hij opgenomen.'

'Heeft hij wát?'

'Hij heeft het op de bank gezet. En hij heeft het er allemaal weer afgehaald, van een stuk of twintig banken, in gedeelten, over een periode van vele weken. Maar hij heeft het er wel degelijk af-gekregen; in contant geld.'

'Je kunt geen 3 miljoen pond in contant geld opnemen,' zei Armitage senior ongelovig.

'O, jawel hoor,' zei Pound zachtzinnig. 'Niet allemaal tegelijk, natuurlijk, maar in bedragen tot 50 000 pond van grote banken met voorafgaande kennisgeving. Er zijn zoveel bedrijven, die met scheppen vol contant geld werken; zoals casino's en gokwinkels bijvoorbeeld en handelaars in tweedehandsgoederen in van alles en nog wat . . .'

Hij werd onderbroken door een aanzwellend lawaai. Mevrouw Armitage sloeg met een plompe vuist op tafel; haar zoon was op-gesprongen en stond over de tafel heen met een wijsvinger te schudden; haar man trachtte de houding aan te nemen van een rechter, die op het punt staat een buitengewoon strenge straf uit te spreken. Ze schreeuwden allemaal door elkaar heen.

'Dat had hij nooit kunnen flikken . . . hij moet het ergens ver-stopt hebben . . . u moet maar gauw zorgen dat u het vindt . . . jullie hebben samen onder één hoedje gespeeld . . .'

Het was de laatste opmerking, die het geduld van Martin Pound deed knappen.

'Stílte . . .' brulde hij en die uitbarsting was zo onverwacht, dat het drietal zweeg. Pound wees met zijn vinger pal op de jonge Armitage. 'En u, meneer, trekt die laatste opmerking on-middellijk in. Hebt u dat goed begrepen?'

Armitage schoof op zijn stoel heen en weer. Hij wierp een blik naar zijn ouders die hem woedend aankeken. 'Neem me niet kwalijk,' zei hij.

'Welnu,' hernam Pound. 'Deze manoeuvre is wel eens meer toegepast, meestal om betaling van belasting te ontduiken. Ik sta verbaasd over Timothy Hanson. Het lukt praktisch nooit. Men kan wel een groot bedrag in contanten opnemen, maar om erover te beschikken is een andere zaak. Hij kan het bij een buitenlandse bank op een deposito-rekening hebben gezet, maar omdat hij wist dat hij ging sterven, heeft dit niet veel zin. Hij had er geen behoefte aan om reeds rijke bankiers te verrijken. Nee, hij moet het ergens ondergebracht of er iets van gekocht hebben. Het duurt misschien even, maar het resultaat is altijd hetzelfde. Als het ergens gedeponeerd is, wordt het gevonden. Als er een ander eigendom voor verkregen is, wordt dat ook opgespoord. Behalve de rest, zijn er vermogenswinst belastingen en onroerend goed belastingen op de verkopen van eigendommen en op het landgoed zelf te betalen. Daarom zal de belastinginspecteur op de hoogte gesteld willen worden.'

'Wat kunt u persoonlijk doen?' vroeg Armitage senior tenslotte.

'Voorlopig heb ik contact opgenomen met alle grote banken en handelsbanken in het Verenigd Koninkrijk, omdat ik gemachtigd ben door de voorwaarden van zijn eigen testament. Alles zit tegenwoordig in de computer, maar er is geen enkele storting op naam van Hanson aan het licht gekomen. Ook heb ik in de grote landelijke dagbladen geadverteerd om informatie, maar er is geen reactie op gekomen. Ik ben bij zijn vroegere chauffeur- en huisknecht op bezoek geweest, de heer Richards, die zich nu in Zuid-Wales teruggetrokken heeft, maar hij kan mij ook niet helpen. Hij heeft nergens grote hoeveelheden – en neem van mij aan, dat het dan wel hoeveelheden van enorme omvang moesten zijn geweest – bankbiljetten gezien. De vraag is nu: wat wilt u dat ik verder nog doe?'

Er viel een stilzwijgen terwijl ze gedrieën over de kwestie nadachten.

Inwendig was Martin Pound bedroefd over wat zijn vriend blijkbaar getracht had te doen. Hoe kon je denken dat voor elkaar te krijgen? vroeg hij aan de verscheiden geest. Had je zo weinig eerbied voor de inkomstenbelasting? Het zijn nooit deze hebzuchtige, onbeduidende mensen geweest waar je iets van te vrezen had, Timothy. Dat waren altijd de lui van de belasting. Die zijn onverbiddelijk en onvermoeibaar. Ze laten nooit af. Ze komen nooit fondsen tekort. Hoe goed het ook verstopt is, als wij het hebben opgegeven en hun beurt komt, zullen zij het zoeken. Zo lang ze niet weten waar het is, zullen ze almaar doorgaan met de jacht en ze zullen nooit en te nimmer ophouden, voor ze het weten. Alleen als ze het wel weten, zelfs al is het buiten Engeland en buiten hun rechtsgebied, zullen zij het dossier sluiten.

'Zou u niet door kunnen gaan met zoeken?' vroeg Armitage senior met een tikje meer beleefdheid dan hij tot nu toe getoond had.

'Een poosje wel, ja,' stemde Pound toe. 'Maar ik heb mijn best gedaan. Ik heb een advocatenpraktijk. Ik kan niet al mijn tijd aan het zoeken wijden.'

'Wat adviseert u?' vroeg Armitage.

'Er is altijd nog de belastingdienst,' zei Pound vriendelijk. 'Vroeg of laat, en waarschijnlijk vroeg, zal ik ze op de hoogte moeten stellen van wat er gebeurd is.'

'Denkt u, dat ze het zullen opsporen?' vroeg mevrouw Armitage gretig. 'Zij zijn in zekere zin tenslotte ook begunstigden.'

'Daar ben ik van overtuigd,' zei Pound. 'Zij zullen hun aandeel willen hebben. En zij hebben alle staatsmiddelen tot hun beschikking.'

'Hoeveel tijd zouden ze ervoor nodig hebben?' vroeg Armitage.

'Aha,' zei Pound, 'dat is een andere zaak. Mijn ervaring is, dat ze meestal geen haast hebben. De ambtelijke molens malen langzaam.'

'Maanden?' vroeg Armitage junior.

'Waarschijnlijk wel jaren. Ze zullen de jacht nooit opgeven, maar ze zullen zich niet haasten.'

'Zo lang kunnen we niet wachten,' snerpte mevrouw Armitage. Haar maatschappelijke hoogvlucht begon meer op een koude start te lijken.

'Zeg, wat dacht u van een privé-detective?' opperde Armitage junior.

'Zou u een privé-detective aan het werk kunnen zetten?' vroeg mevrouw Armitage.

'Ik geef de voorkeur aan de term particulier rechercheur,' zei

Pound. 'Dat doen zij ook. Ja, dat is wel mogelijk. Ik heb in het verleden de gelegenheid gehad bij het opsporen van ontbrekende begunstigden gebruik te maken van de diensten van een zeer gerenommeerd persoon uit dat vak. Het blijkt nu, dat die begunstigden er wel zijn, maar dat het bezit weg is. Maar toch . . .'

'Nou, bel hem dan op,' snauwde mevrouw Armitage. 'En zeg dat hij moet nagaan waar die rotvent zijn geld gelaten heeft.'

Hebzucht, dacht Pound. Als Hanson eens had kunnen vermoeden hoe inhalig ze zouden blijken te zijn.

'Uitstekend. Maar dan is er de kwestie van zijn honorarium. Ik moet u zeggen dat er van die 5 000 pond die apart was gelegd voor alle onkosten, tamelijk weinig overblijft. De uitgaven zijn groter geweest dan gebruikelijk . . . En zijn diensten zijn niet goedkoop. Maar, hij is wel de beste . . .'

Mevrouw Armitage keek haar man aan. 'Norman.'

Armitage senior slikte moeizaam. Hij zag in gedachten zijn auto en de zomervakantie al naar de knoppen gaan. Hij knikte. 'Ik zal . . . eh . . . zijn honorarium wel betalen, als wat er van die 5 000 pond overblijft op is,' zei hij.

'Afgesproken, dan,' zei Pound en hij stond op. 'Ik zal de medewerking inroepen van de heer Eustace Miller en niemand anders. Ik twijfel er niet aan dat hij het verdwenen fortuin zal opsporen. Hij heeft me nog nooit teleurgesteld.'

Met die woorden liet hij hen uit en trok zich in zijn kantoor terug om Eustace Miller, particulier rechercheur, op te bellen.

Vier weken lang werd er niets van de heer Miller vernomen, maar des te meer van de Armitages, die Martin Pound met hun onophoudelijk gezeur om snelle opsporing van het verdwenen fortuin waar ze recht op hadden bestookten. Eindelijk meldde Miller aan Martin Pound, dat hij op een kritiek punt in zijn nasporingen was aangeland en van mening was, dat hij over zijn vorderingen die hij tot nu toe gemaakt had verslag moest uitbrengen.

Pound, die intussen al bijna net zo nieuwsgierig was geworden als de familie Armitage, maakte een afspraak op zijn kantoor.

Als de familie Armitage verwacht had, met een figuur in de gedaante van een Philip Marlowe of een andere populaire opvatting van een keiharde privé-detective te maken te krijgen, stond hen een teleurstelling te wachten. Eustace Miller was klein, rond en welwillend, met plukjes wit haar rondom een overigens kaal hoofd en een bril met halve glazen. Hij droeg een stemmig kostuum met een gouden horlogeketting over het vest en hij verhief zich in zijn niet zo indrukwekkende lengte, om zijn verslag aan te bieden.

'Ik ben aan dit onderzoek begonnen,' zei hij, hen allemaal om de beurt boven de rand van zijn halve glazen opnemend, 'met drie veronderstellingen in gedachte. De eerste was, dat de heer Hanson in de maanden voordat hij stierf dit uitzonderlijke plan weloverwogen en met een vast doel voor ogen heeft uitgevoerd. Ten tweede geloofde ik en geloof ik nog, dat het doel van de heer Hanson was, zijn klaarblijkelijke erfgenamen en de inspecteurs der directe belastingen iedere toegang tot zijn fortuin na zijn dood te ontzeggen . . .'

'De oude schoft,' snauwde Armitage junior.

'Hij had het anders helemaal niet aan u hoeven nalaten,' merkte Pound zachtzinnig op. 'Gaat u verder, meneer Miller.'

'Dank u. Ten derde nam ik aan, dat de heer Hanson het geld niet verbrand had of het grote risico genomen had om te trachten het naar het buitenland te smokkelen, in aanmerking genomen de reusachtige omvang die zo'n grote som geld in contanten zou beslaan. Kortom, ik kwam tot het inzicht, dat hij er iets van gekocht had.'

'Goud? Diamanten?' vroeg Armitage senior.

'Nee, ik heb al die mogelijkheden onderzocht en na intensieve navraag verworpen. Toen ben ik aan een ander artikel gaan denken, dat een grote waarde maar betrekkelijk kleine omvang heeft. Ik heb de firma Johnson Matthey, handelaren in edele metalen geraadpleegd. En ik heb het gevonden.'

'Het geld?' riep de hele familie Armitage in koor.

'Het antwoord,' zei Miller. Genietend van zijn moment, haalde hij een stapeltje papieren uit zijn diplomatenkoffertje. 'Dit zijn de facturen voor de aankoop door de heer Hanson van Johnson Matthey van 250 vijftig-ounce blokken van hoogwaardig 99,95 procent zuivere platina.

Er viel een onthutste stilte om de tafel.

'Het was, eerlijk gezegd, niet zo'n heel erg handige list,' zei meneer Miller een tikje spijtig. 'De koper mag dan alle gegevens van zijn aankopen vernietigd hebben, maar de verkoper zal de registratie van zijn verkopen natuurlijk niet vernietigen. En hier zijn ze dan ook.'

'Waarom platina?' vroeg Pound zwakjes.

'Een interessante vraag. Onder de huidige Labour-regering heb je een vergunning nodig om goud te kopen en in bezit te hebben. Diamanten kunnen door mensen uit het vak direct geïdentificeerd worden en daarom is het helemaal niet zo gemakkelijk om ze van de hand te doen, als je uit een of ander amateuristisch misdaadverhaaltje zou opmaken. Voor platina is geen vergunning nodig, het heeft op het ogenblik dezelfde waarde als goud en het is naast rhodium een van de duurste metalen ter wereld. Toen hij het metaal kocht, betaalde hij de vrije marktprijs van 500 Amerikaanse dollar per ounce.'

'Hoeveel heeft hij uitgegeven?' vroeg mevrouw Armitage.

'Bijna de hele 3 miljoen pond sterling die hij voor al zijn wereldse goederen had ontvangen,' zei Miller. 'In Amerikaanse dollars – waarin de prijzen op deze markt altijd worden aangegeven – 6,25 miljoen dollar voor bij elkaar 12 500 ounce. Of, zoals ik gezegd heb, 250 staven van vijftig zuiver ounces gewicht per stuk.'

'Waar heeft hij die allemaal mee naar toe genomen?' wilde Armitage senior weten.

'Naar zijn landgoed in Kent,' zei Miller. Hij genoot van zijn succes en verkneukelde zich al bij voorbaat op wat hij nog meer in petto had.

'Maar daar ben ik geweest,' wierp Pound tegen.

'Met een juridische blik. 'Ik kijk met de blik van een speurder,' zei Miller. 'En ik wist waar ik naar zocht. Daarom ben ik niet met het huis, maar met de bijgebouwen begonnen. Weet u, dat de heer Hanson in een vroegere schuur achter de stallen een buitengewoon goed uitgeruste timmermanswerkplaats had?'

'Ja, zeker,' zei Pound. 'Dat was zijn liefhebberij.'

'Precies,' zei Miller. 'Daar heb ik dan ook mijn nasporingen op geconcentreerd. Die plek was met de grootste zorg schoongemaakt; gestofzuigd.'

'Misschien door Richards, de chauffeur en manusje-van-alles.'

'Misschien, maar niet waarschijnlijk. Ondanks al die netheid ontdekte ik vlekken op de vloerplanken en heb ik een paar monsters laten analyseren. Dieselolie. Afgaande op een vermoeden dacht ik aan een of andere machine of een motor. Die markt is zo klein dat ik binnen een week het antwoord had gevonden. In mei van dit jaar heeft de heer Hanson een krachtige met dieselolie gestookte elektrische generator gekocht en deze in zijn werkplaats geïnstalleerd. Hij heeft hem vlak voor hij stierf voor de schroot verkocht.'

'Die diende zeker voor zijn elektrische gereedschap,' zei Pound.

'Nee, daar was het elektriciteitsnet sterk genoeg voor. Hij diende om iets anders mee in werking te stellen, iets waar enorm veel kracht voor nodig was. Weer een week later had ik dat ook opgespoord, namelijk een kleine, moderne zeer doelmatige oven. Die is ook al lang verdwenen en ik twijfel er niet aan, dat de gietlepels, asbest handschoenen en tangen op de bodem van een of andere rivier zijn gedumpt. Maar ik meen te mogen zeggen, dat ik iets grondiger ben geweest dan de heer Hanson. Tussen twee vloerplanken geklemd en verborgen onder in elkaar geperst zaagsel, ontdekte ik dit – ongetwijfeld precies op de plaats waar het tijdens de bewerking gevallen was.'

Het was zijn hoogtepunt en hij rekte de spanning. Uit zijn koffertje haalde hij een wit papieren zakdoekje en vouwde het langzaam open. Hij haalde er een dunne splinter gestold metaal uit en hield het omhoog, waar het glinsterde in het licht. Het was een soort sliertje, dat langs de zijkant van een lepel moet hebben gevloeid en daarna gestold en er af was gevallen. Miller wachtte terwijl ze er allemaal naar staarden.

'Ik heb het natuurlijk laten analyseren en het is hoogwaardig 99,95 procent zuivere platina.'

'Hebt u de rest kunnen achterhalen?' fluisterde mevrouw Armitage.

'Nog niet, mevrouw, maar dat zal ik zeker doen. Weest u maar niet bang. Zoals u ziet, heeft de heer Hanson bij het kiezen van platina één grote vergissing gemaakt. Platina heeft één eigenschap, die hij waarschijnlijk onderschat heeft en die toch volkomen uniek is, namelijk het gewicht. Wij weten nu tenminste waar we naar zoeken, een of andere houten krat, die er schijnbaar heel onschuldig uitziet, maar die – en daar gaat het om – bijna een halve ton weegt . . .'

Mevrouw Armitage wierp haar hoofd achterover en stiet een vreemde rauwe kreet uit, als het gejank van een gewond dier. Miller maakte een luchtsprong. Meneer Armitage liet zijn hoofd voorover in zijn handen vallen. Tarquin Armitage stond op, met zijn puistige gezicht knalrood van woede en gilde: 'Die vuile schoft.'

Martin Pound staarde ongelovig naar de geschrokken particuliere rechercheur. 'Goeie God,' zei hij. 'O, hemelse goedheid, hij heeft inderdaad alles meegenomen.'

Twee dagen later stelde Pound de fiscus volledig op de hoogte van alle feiten van deze zaak. Ze controleerden de gegevens en zagen – zij het met tegenzin – af van vervolging.

Barney Smee liep vrolijk met kwieke pas naar zijn bank, in de zekerheid dat hij daar precies op tijd aankwam voordat ze voor de kerstvakantie dichtgingen. De reden voor zijn vreugde zat veilig in zijn borstzakje: een chèque voor een zeer aanzienlijk bedrag, maar slechts de laatste van een hele reeks van zulke chèques, die hem de laatste paar maanden van een veel hoger inkomen hadden verzekerd, dan hij ooit kans had gezien te verdienen gedurende de twintig jaar van de riskante handel in oude metalen voor de juwelenindustrie.

Hij had er goed aan gedaan, constateerde hij tevreden, dat hij het risico genomen had en het was ontegenzeglijk een groot risico geweest. Maar iedereen probeerde tegenwoordig de belasting te ontduiken en wie was hij, om de bron van zijn goede fortuin te veroordelen, enkel en alleen omdat de man alleen contant zaken wenste te doen? Het kostte Barney Smee niet veel moeite die belegger met het zilvergrijze haar te begrijpen, die zich Richards noemde en een rijbewijs had om het te bewijzen. Die man had zijn 50-ounce staven kennelijk al jaren geleden gekocht toen ze nog goedkoop waren. Als hij ze via Johnson Matthey op de vrije markt had verkocht, hadden ze hem ongetwijfeld een hogere prijs opgeleverd, maar wat zou het hem aan vermogenswinstbelasting hebben gekost? Dat kon hij alleen maar zelf weten en Barney Smee stak zijn neus niet in andermans zaken.

Er werd in die handel overigens ontzettend veel contant gedaan. De staven waren echt geweest en droegen zelfs het originele merk van Johnson Matthey, waar ze ooit vandaan gekomen waren. Alleen het serienummer was weggeschroeid; dat had de oude man een hoop geld gekost, omdat Smee hem zonder serienummer bij lange na niet de geldende marktprijs kon bieden. Hij kon slechts de schrootprijs of produktieprijs bieden, ongeveer 440 dollar per ounce. Maar mét serienummers zou de eigenaar bij de belasting bekend zijn geweest, dus wist de oude man dan toch wel wat hij deed.

Barney Smee had zich uiteindelijk via de handel van alle vijftig staven weten te ontdoen en had er zelf een slordige tien dollar per ounce aan overgehouden. De chèque in zijn zak was voor de verkoop van het laatste stukje van de handel, de twee allerlaatste staven geweest. Hij was zich er gelukkig niet van bewust dat vier andere mensen in andere delen van Engeland net als hij ook de herfst bezig waren geweest, met vijftig 50-ounce staven via de tweedehandsmarkt weer in de handel terug te laten sijpelen, die ze contant van een verkoper met zilvergrijs haar hadden gekocht. Hij sloeg uit de zijstraat de Old Kent Road in en botste precies op de hoek tegen een man op, die uit een taxi stapte. De beide mannen verontschuldigden zich en wensten elkaar een vrolijk kerstfeest. Barney Smee vervolgde tevreden zijn weg.

De andere man, een advocaat uit Guernsey, tuurde omhoog naar het gebouw waar hij was afgezet, zette zijn hoed recht en begaf zich naar de ingang. Tien minuten later voerde hij een vertrouwelijk onderhoud met een enigszins verbaasde Moeder Overste.

'Mag ik vragen, Moeder Overste, of het weeshuis Saint Benedict officieel als liefdadigheidsinstelling onder de Liefdadigheidswet geregistreerd staat?'

'Ja,' zei de Moeder Overste, 'dat is inderdaad het geval.'

'Juist,' zei de advocaat. 'Dan heeft er geen overtreding plaatsgevonden en valt u in dat geval niet onder de kapitaalsoverdrachtbelasting.'

'Van de wat?' vroeg ze.

'Beter bekend als de belasting op giften,' zei de advocaat met een glimlach. 'Tot mijn grote genoegen kan ik u zeggen, dat een schenker, wiens identiteit ik niet kan onthullen, volgens de regels van geheimhouding tussen cliënt en advocaat, het nodig heeft geoordeeld een aanzienlijke som geld aan uw instituut te schenken.'

Hij wachtte op een reactie, maar de grijze oude non zat hem in stomme verbazing aan te staren.

'Mijn cliënt, wiens naam u nooit te weten zult komen, heeft mij speciaal opgedragen om heden, de dag voor Kerstmis, mijn opwachting bij u te maken en deze envelop aan u te overhandigen.'

Hij haalde een envelop van stevig bruin papier uit zijn aktentas en reikte hem aan de Moeder Overste aan. Ze nam hem aan, maar maakte geen aanstalten om hem open te maken.

'Ik begrijp, dat er een gewaarmerkte bankchèque in zit, gekocht van een gerenommeerde bank, gevestigd in Guernsey, getrokken op die bank en uitgeschreven ten gunste van Weeshuis Saint Benedict. Ik heb de inhoud niet gezien, maar dat waren mijn instructies.'

'Geen schenkingsbelasting?' vroeg ze, besluiteloos met de envelop in de hand. Liefdadigheidsgiften waren uiterst zeldzaam en er moest meestal zwaar voor gestreden worden.

'Wij hebben op de Kanaaleilanden een ander belastingsysteem dan het hoofdeiland van het Verenigd Koninkrijk,' zei de advocaat geduldig. 'Wij hebben geen kapitaalsoverdrachtbelasting. Wij oefenen ook het bankgeheim uit. Een schenking binnen Guernsey of de Kanaaleilanden is belastingvrij. Indien de ontvanger zijn domicilie heeft of woonachtig is op het hoofdeiland van het Verenigd Koninkrijk of Engeland, dan zou hij of zij onder de belastingwetten van het hoofdeiland vallen, tenzij reeds vrijstelling is verleend, zoals bij de Schenkingswet bijvoorbeeld. Als u nu zo vriendelijk wilt zijn een ontvangstbewijs te tekenen voor een envelop met onbekende inhoud, dan heb ik mijn plicht gedaan. Mijn honorarium is reeds verrekend en ik wil nu graag naar mijn gezin thuis.'

Twee minuten later zat de Moeder Overste alleen. Langzaam sneed ze met een pennemesje langs de rand van de envelop en haalde de inhoud eruit. Het was een enkele gewaarmerkte chèque. Toen ze het bedrag zag dat erop stond, grabbelde ze naar haar rozenkrans en begon hem snel af te tellen. Toen ze haar zelfbeheersing weer een beetje terug had gekregen, ging ze naar de bidstoel langs de muur en knielde een half uur in gebed.

Toen ze, nog een beetje bibberig, weer aan haar bureau zat, staarde ze opnieuw naar de chèque voor ruim 2,5 miljoen pond. Wie ter wereld had er nu zo veel geld? Ze probeerde te bedenken, wat ze met zo'n bedrag zou doen. Een beheersfonds, misschien. Er was genoeg om het weeshuis voor altijd te onderhouden en zeker genoeg om de wens van haar leven te vervullen: het weeshuis uit de sloppenwijk van Londen te halen en het ergens buiten in de frisse lucht te vestigen. Ze kon tweemaal zoveel kinderen opnemen. Ze kon . . .

Ze werd bestormd door gedachten en er was er een die trachtte naar voren te dringen. Wat was het ook weer? O, ja, de zondagskrant van de vorige week. Haar oog was ergens op gevallen en dat had een hevig verlangen gewekt. Dat was het, daar gingen ze naar toe, met genoeg geld in haar handen om het te kopen en altijd te onderhouden. Een droom, die werkelijkheid was geworden. Een advertentie in de onroerend-goed rubriek. Te koop, een landgoed in Kent met acht hectare parkland . . .

Kwade praktijken

Rechter Comyn maakte het zich gemakkelijk in een plaats aan het raam van zijn eersteklas coupé, vouwde zijn krantje, de *Irish Times* open, liet zijn blik even over de koppen glijden en legde hem op zijn schoot.

Hij zou nog tijd genoeg hebben om de krant te lezen tijdens de vier uur durende rit met de boemeltrein naar Tralee. Hij keek afwezig uit het raampje naar de bedrijvigheid op Kingsbride station de laatste minuten voor het vertrek van de locomotief van Dublin naar Tralee, die hem in een kalm tempo naar zijn werkzaamheden in de voornaamste gemeente van het graafschap Kerry zou vervoeren. Hij hoopte eigenlijk maar dat hij de coupé voor zichzelf zou hebben, zodat hij zich met zijn papieren kon bezighouden.

Het mocht niet zo zijn. De gedachte was nog niet in zijn hoofd opgekomen, of de coupédeur ging open en er stapte iemand binnen. De deur schoof weer dicht en de nieuwkomer gooide een valies in het bagagerek. Toen ging de man aan de andere kant van het glimmende notehouten tafeltje tegenover hem zitten.

Rechter Comyn keek even naar hem. Zijn reisgenoot was een kleine, schriele man, met een parmantige kuif van zandkleurig haar die van zijn voorhoofd omhoogstak en een paar diep melancholieke ogen met een schuldbewuste uitdrukking. Hij droeg een pak van een stugge, harige stof met een bijpassend vest en gebreide das. De rechter schatte hem als iemand die iets met paarden te maken heeft, of misschien een kantoorbediende en begon weer uit het raampje te staren.

Hij hoorde de conducteur iets roepen tegen de machinist van de oude stoomlocomotief, die ergens verder op de rails stond te puffen en toen het schelle fluitje van de conducteur. Toen de locomotief reeds zijn eerste grote stoomwolk uitstiet en de wagon slingerend begon te rijden, rende er een grote geheel in het zwart geklede gedaante langs de raampjes. De rechter hoorde het geratel van een wagonportier dat een paar meter verderop open werd getrokken en de bons van een lichaam dat in de gang belandde. Een paar tellen later verscheen hijgend en puffend de zwarte gedaante in de deuropening van de coupé en liet zich opgelucht in de andere hoek vallen.

Rechter Comyn keek weer even op. De nieuwkomer was een priester met een hoogrode kleur. De rechter keek weer uit het raampje; hij had geen zin om een gesprek te beginnen, want hij had zijn opleiding in Engeland ontvangen.

'Alle heiligen, u had hem bijna gemist, eerwaarde,' hoorde hij de schriele man zeggen.

'Het was net op het nippertje,' antwoordde de priester, nog steeds puffend en blazend.

Daarna vervielen ze gelukkig in stilzwijgen. Rechter Comyn zag Kingsbridge station uit het gezicht glijden, om plaats te maken voor de troosteloze rijen zwart beroete huizen, die toentertijd de westelijke voorsteden van Dublin vormden. De loc van de Great Southern Railway Company begon er hard aan te trekken en het geklikklak van de wielen op de rails versnelde. Rechter Comyn nam zijn krant op.

De kop en het hoofdartikel gingen over de premier, Eamon de Valera, die de vorige dag in het Ierse Lagerhuis zijn volledige steun aan de minister van Landbouw had gegeven in de kwestie van de aardappelprijs. Helemaal onderaan stond in een klein berichtje dat een zekere meneer Hitler Oostenrijk had geannexeerd. Die redacteur was iemand die precies wist wat wel en niet belangrijk was, dacht rechter Comyn. Verder stond er niet veel meer in de krant dat hem interesseerde en na vijf minuten vouwde hij hem dicht, haalde een bundeltje juridische documenten uit zijn aktentas en begon ze te bestuderen. Niet lang nadat ze de stad Dublin uit waren, gleden de groene velden van Kildare langs het raampje.

'Meneer,' zei een schuchtere stem tegenover hem. O, hemel, dacht hij, die zit om een praatje verlegen. Hij sloeg zijn blik op naar de smekende spaniëlogen van de man tegenover hem.

'Zou ik een klein stukje van het tafelblad mogen gebruiken?' vroeg de man.

'Gaat uw gang,' zei de rechter.

'Dank u wel, meneer,' zei de man; hij sprak met een hoorbaar Iers accent uit het zuidwesten van het land.

De rechter verdiepte zich weer in zijn studie van de papieren in verband met een ingewikkelde civiele zaak, waarover hij na zijn terugkeer uit Tralee in Dublin uitspraak zou moeten doen. Zijn bezoek aan Kerry als districtsrechter, om daar de driemaandelijkse rechtszittingen te leiden zou naar zijn mening niet veel complicaties opleveren. Op deze landelijke districtsgerechtshoven werden volgens zijn ervaring slechts hele simpele kwesties behandeld, waarover geoordeeld werd door plaatselijke jury's, die dikwijls uitspraken van een onwaarschijnlijke logica deden.

Hij nam niet de moeite om op te kijken, toen het schriele mannetje een pakje niet al te schone speelkaarten uit zijn zak haalde en er een aantal in rijen begon uit te leggen voor een spelletje patience. Zijn aandacht werd even later pas getrokken door een klakkend geluid. Hij keek weer op.

De schrale man zat met zijn tong tussen zijn tanden in een poging tot grote concentratie – daar kwam het klakkende geluid vandaan – en keek naar de opengelegde kaarten onderaan iedere rij. Rechter Comyn constateerde met één blik, dat er een rode negen niet op een zwarte tien was gelegd, al waren de beide kaarten duidelijk zichtbaar. De schriele man begon, zonder de bij elkaar passende kaarten te zien, drie nieuwe te geven. Rechter Comyn slikte zijn ergernis in en verdiepte zich weer in zijn papieren. Heb ik niets mee te maken, zei hij bij zichzelf.

Maar er is iets aan iemand die patience speelt dat de aandacht vasthoudt en vooral als hij slecht speelt. Na vijf minuten kon de rechter zijn aandacht totaal niet meer bij het civiele rechtsgeding houden en zat hij geboeid naar de uitgestalde kaarten te kijken. Eindelijk kon hij het niet langer uithouden. Er was een lege rij aan de rechterkant maar toch lag er een opengelegde heer in de derde kolom, die op de lege plek thuishoorde. Hij kuchte even. De schriele man keek verschrikt op.

'Die heer,' zei de rechter vriendelijk, 'die moet daar boven op die lege plek liggen.'

De kaartspeler keek naar zijn kaarten, ontdekte de kans en verlegde de heer. De kaart die nu omgedraaid kon worden, bleek een vrouw te zijn en werd op de heer gelegd. Voor hij klaar was, had hij volgens de regels zeven kaarten gelegd. De rij die met de heer was begonnen eindigde nu met een tien.

'En de rode negen, 'zei de rechter, 'die kan nu naar de andere kant.'

De rode negen en de zes kaarten die erbij hoorden gingen naar de negen toe. Er kon weer een nieuwe kaart open; een aas, die bovenaan het spel kwam te liggen.

'Ik denk, dat hij wel uitkomt,' zei de rechter.

'Ach, welnee, meneer,' zei de schriele man, het hoofd met de treurige hondeblik schuddend. 'Ik heb er nog nooit van mijn leven eentje gehad die uitkwam.'

'Doorspelen, doorspelen,' zei rechter Comyn, die het nu spannend begon te vinden. Met zijn hulp kwam het spel inderdaad uit. De schriele man staarde verbaasd naar het opgeloste raadsel.

'Alstublieft, ziet u wel dat u het voor elkaar hebt gekregen,' zei de rechter.

'Ach ja, maar niet zonder de hulp van u, edelachtbare,' zei de ander met de melancholieke blik. 'U hebt ontzettend veel verstand van kaarten, meneer.'

Rechter Comyn vroeg zich af, of de kaartspeler soms kon weten dat hij rechter was, maar besloot toen, dat de man eenvoudig de aanspreekvorm gebruikte die destijds in Ierland vaak tegenover een achtenswaardig persoon gebruikt werd.

Zelfs de priester legde zijn bundel met preken van wijlen de grote kardinaal Newman neer en keek naar de kaarten.

'Och,' zei de rechter, die met zijn vriendjes in de Kildare Street Club wel eens een spelletje bridge en poker speelde, 'dat valt wel mee.'

Inwendig ging hij nogal prat op zijn theorie, dat iemand met een juridisch geschoolde geest, met een geoefende opmerkingsgave, toepassing van de logica en een scherp geheugen, altijd een behoorlijk spelletje kaart kon spelen.

Het schriele mannetje hield op met spelen en begon doelloos spellen van vijf kaarten uit te delen, die hij dan nadenkend bekeek, alvorens ze weer in het pakje kaarten terug te stoppen. Tenslotte legde hij het spel kaarten neer en zuchtte.

'Het is een lange reis naar Tralee,' zei hij treurig.

Toen rechter Comyn er achteraf over nadacht, kon hij zich niet meer herinneren wie er precies het woordje poker had genoemd, maar hij vermoedde dat hij het zelf misschien wel was geweest. In ieder geval nam hij het pakje kaarten over en deelde hij zichzelf een paar spellen uit. Tot zijn genoegen constateerde hij dat hij een keer een full house, boeren en tienen had.

Met een klein lachje, alsof hij zich over zijn eigen vrijpostigheid verbaasde, pakte de schriele man één spelletje kaarten op en hield het voor zich uit.

'Ik wil om één denkbeeldige stuiver met u wedden, dat u zichzelf geen betere kaart kunt geven dan deze.'

'Akkoord,' zei de rechter en deelde een tweede kaart uit, die hij voor zich hield. Het was geen full house, maar er zaten wel een paar negens in.

'Klaar?' vroeg rechter Comyn. De schriele man knikte. Ze legden hun kaarten neer. De schriele had drie vijven.

'Aha,' zei de rechter, 'maar ik heb geen nieuwe kaarten getrokken, wat ik mocht doen. Nog een keer, beste kerel.'

Ze deden het opnieuw. Deze keer trok de schriele man drie nieuwe kaarten en de rechter twee. De rechter had de beste kaart in zijn hand.

'Ik win mijn denkbeeldige stuiver terug,' zei de rechter.

'Dat doet u zeker, meneer,' zei de ander. 'Dat was een mooie kaart. U hebt er slag van. Dat kan ik wel zien, al heb ik het zelf niet. Ja, meneer, daar komt het op aan.'

'Het is niets anders dan pure gevolgtrekking en kansberekening,' verbeterde rechter Comyn.

Dat was het punt, waarop zij hun namen uitwisselden, alleen achternamen, zoals in die tijd de gewoonte was. De rechter liet zijn titel weg en gaf eenvoudig op dat hij Comyn heette, en de andere onthulde, dat hij O'Connor was. Vijf minuten later, tussen Sallins en Kildare, deden ze bij wijze van proef een vriendschappelijk spelletje poker. Een spel van vijf kaarten leek de meest voor de hand liggende vorm te zijn en er kwam natuurlijk geen geld bij te pas.

'Het probleem is,' zei O'Connor, 'dat ik niet meer weet wie om wat heeft gewed. Uwe edelachtbare heeft zijn goede geheugen om hem te helpen.'

'Ik weet wat,' zei rechter Comyn, en rommelde triomfantelijk in zijn aktentas, waar hij een grote doos lucifers uithaalde. Hij rookte graag een sigaar na het ontbijt en een na het diner en zou nooit een goede Havana-sigaar met een benzine-aansteker aansteken.

'Dat is het,' zei O'Connor verbaasd, toen de rechter aan elk twintig lucifershoutjes begon uit te delen.

Ze speelden twaalf spelletjes, niet zonder genoegen, en de honneurs waren ongeveer gelijk verdeeld. Maar het valt niet mee met twee personen te pokeren, want als de ene partij een slechte kaart heeft en neerlegt, is de ander ook uitgespeeld. Even voorbij het plaatsje Kildare vroeg O'Connor aan de priester: 'Zou u niet met ons mee willen doen, eerwaarde?'

'Helaas niet,' zei de roodwangige priester met een lachje, 'want ik ben niet zo goed in kaarten. Hoewel,' zei hij er achter, 'ik met de jongens in het seminarie wel eens een spelletje whist heb gespeeld.'

'Het principe is hetzelfde, eerwaarde,' zei de rechter. 'Eens geleerd, nooit vergeten. U krijgt gewoon een spel van vijf kaarten; u kunt nieuwe kaarten trekken tot vijf, als u niet gelukkig bent met wat u gekregen hebt. Dan taxeert u, of de kaart die u in de hand hebt goed of slecht is. Als hij goed is, is uw weddenschap beter dan die van ons, zo niet, dan ziet u ervan af en legt uw kaart neer.'

'Ik weet niet of ik kan wedden,' zei de priester weifelachtig.

'Het zijn maar lucifershoutjes, eerwaarde,' zei O'Connor.

'Probeer je slagen te maken?' vroeg de priester.

O'Connor trok zijn wenkbrauwen op. Rechter Comyn lachte een tikje neerbuigend.

'Er worden geen slagen gemaakt,' zei hij. 'De kaart die u in de hand hebt, wordt volgens een bepaalde schaal van waarden getaxeerd. Kijk . . .'

Hij rommelde in zijn aktentas en haalde er een velletje wit gelijnd papier uit en uit zijn binnenzak een vulpotlood van geplet goud. Hij begon op het velletje te schrijven. De priester tuurde om het te kunnen zien.

'Bovenaan het lijstje komt de royal flush,' zei de rechter. 'Dat wil zeggen vijf kaarten van dezelfde kleur, allemaal in volgorde, beginnend met de aas. Omdat ze in volgorde moeten zijn, betekent dat dus dat de overige heer, vrouw, boer en tien moeten zijn.'

'Dat neem ik aan,' zei de priester voorzichtig.

'Dan komt carré of vier gelijke kaarten,' zei de rechter en schreef de woorden onder de royal flush op. 'Dat betekent precies wat er staat: vier azen, of vier heren, vier vrouwen enzovoort, naar beneden tot aan vier tweeën. De vijfde kaart telt niet. En vier azen is natuurlijk beter dan vier heren of iets anders. Duidelijk?'

De priester knikte.

'Dan komt full house,' zei O'Connor.

'Nee, nog niet,' verbeterde rechter Comyn. 'Eerst komt nog straight flush, beste vriend.'

O'Connor sloeg op zijn voorhoofd, met het gebaar van iemand die toegeeft dat hij een sufferd is. 'Ach, natuurlijk, dat is ook zo,' zei hij. 'Ziet u, eerwaarde, Straight flush is hetzelfde als royal flush, behalve dat hij niet met een aas hoeft te beginnen; maar de vijf kaarten moeten wel van dezelfde kleur en in volgorde zijn.'

De rechter schreef deze omschrijving onder de woorden 'carré of vier gelijke kaarten' op het velletje papier.

'Nu komt het full house van meneer O'Connor, wat betekent drie van één soort en twee van een andere soort, compleet vijf kaarten volmakend. Als de drie kaarten tienen zijn en de andere twee zijn twee vrouwen, wordt dit een full house genoemd, tienen op vrouwen.'

De priester knikte weer.

De rechter werkte het hele lijstje af, ieder spel verklarend, aan de hand van 'flush', 'straat', 'drie gelijken', 'twee paar', 'één paar' en 'hoge kaart'.

'Nu,' zei hij toen hij klaar was, 'natuurlijk zou één paar, of een hoge kaart of een gemengd spel, wat een zak spijkers genoemd wordt, zo slecht zijn, dat u er maar liever niet op zou wedden.'

De priester bekeek het lijstje. 'Mag ik dit erbij hebben?' vroeg hij.

'Vanzelfsprekend,' zei rechter Comyn, 'houdt u het maar gerust bij u, eerwaarde.'

'Nou, als het alleen maar om lucifershoutjes gaat...' zei de priester, en werd een kaart toebedeeld. Vriendschappelijke kansspelletjes waren tenslotte geen zonde, niet als het om lucifershoutjes ging. Ze verdeelden de stokjes in drie gelijke stapeltjes en begonnen te spelen.

De eerste twee ronden paste de priester meteen en keek hoe de anderen boden. De rechter won vier lucifersstokjes. De derde maal klaarde het gezicht van de priester op.

'Is dat niet mooi?' vroeg hij en liet zijn kaart aan de beide anderen zien. Het was inderdaad mooi: een full house, boeren en heren. De rechter legde zijn eigen kaart geërgerd neer.

'Ja, dat is zeker heel mooi, eerwaarde,' zei O'Connor geduldig, 'maar u mag ze ons niet laten zien, begrijpt u wel? Want als wij weten wat u hebt, dan wedden wij niet als onze kaart niet zo

mooi is als die van u. Uw eigen kaart houdt u voor zich, net zoals . . . nu ja, zoals de biecht.'

Dat sprak de priester aan. 'Als de biecht,' herhaalde hij. 'Ja,
ik begrijp het. Mondje dicht, hè?'

Hij verontschuldigde zich en ze begonnen opnieuw. Zestig minuten lang tot aan Thurles speelden ze vijftien ronden en het stapeltje lucifershoutjes van de rechter werd steeds hoger. De priester was bijna blut en O'Connor met de melancholieke ogen had
nog maar zijn halve stapeltje over. Hij maakte te veel fouten; de
goede priester leek de kluts kwijt te zijn; alleen de rechter speelde
een hard, berekenend spel poker en taxeerde de kansen en risico's
met zijn juridisch geschoold verstand. Het spel was voor hem de
overwinning van zijn theorie van de geest over het toeval. Even
voorbij Thurles leek de aandacht van O'Connor af te dwalen. De
rechter moest hem tweemaal tot het spel terugroepen.

'Ik ben bang, dat het niet zo spannend is om met lucifershoutjes
te spelen,' bekende hij na de tweede keer. 'Zullen we er nu maar
mee ophouden?'

'Och, ik moet zeggen dat ik me kostelijk amuseer,' zei de rechter. De meeste winnaars zijn verzot op het spel.

'We zouden het ook wel wat spannender kunnen maken,' zei
O'Connor verontschuldigend. 'Ik ben wel geen gokker van nature, maar een paar shilling kan niet veel kwaad.'

'Zoals u wilt,' zei de rechter, 'hoewel ik zie dat u wel een paar
luciferhoutjes verloren hebt.'

'Ach, edelachtbare, straks keren mijn kansen,' zei O'Connor
met zijn snaakse glimlach.

'Dan moet ik mij terugtrekken,' zei de priester op besliste
toon. 'Want ik heb nog maar drie pond in mijn zak en daar moet
ik mijn hele vakantie bij mijn moeder in Dingle van leven.'

'Maar eerwaarde,' zei O'Connor, 'zonder u kunnen wij niet spelen. En die paar shilling . . .'

'Zelfs een paar shilling is te veel voor mij, mijn zoon,' zei de
priester. 'De Heilige Moederkerk is geen plaats voor mensen bij
wie het geld los in de zak rammelt.'

'Wacht eens,' zei de rechter, 'ik weet iets. U en ik, O'Connor,
zullen de lucifershoutjes samen tussen ons verdelen. Wij lenen de
eerwaarde vader dan ieder een gelijk aantal stokjes, die stokjes
die nu een zekere waarde hebben. Als hij verliest, maken wij geen

aanspraak op onze schuld. Als hij wint, betaalt hij ons de stokjes die wij hem geleend hebben terug en profiteert van wat er nog over is.'

'U bent echt een genie, edelachtbare,' zei O'Connor vol bewondering.

'Maar ik kan niet om geld spelen,' protesteerde de priester.

Er viel even een sombere stilte.

'Maar als de winst nu naar een kerkelijke liefdadigheidsinstelling ging?' opperde O'Connor. 'Daar zou de Heer toch geen bezwaar tegen hebben?'

'Maar de bisschop zou er wel bezwaar tegen hebben,' zei de priester, 'en hem kom ik het eerst tegen. Maar . . . er is wel een weeshuis in Dingle. Mijn moeder kookt daar altijd en die arme weeskinderen hebben het 's winters bitter koud met de turfprijzen van tegenwoordig . . .'

'Een donatie,' riep de rechter triomfantelijk uit. Hij wendde zich tot zijn verbouwereerde reisgenoten. 'Alles wat de eerwaarde behalve de inzet die wij hem lenen wint, is onze gezamenlijke gift aan het weeshuis. Wat zegt u daarvan?'

'Ik neem aan, dat zelfs onze bisschop geen bezwaar tegen een gift aan het weeshuis zou kunnen hebben,' zei de priester.

'En die donatie is dan ons geschenk in ruil voor uw deelname aan ons kaartspel, 'zei O'Connor. 'Het kan niet mooier.'

De priester stemde toe en ze begonnen opnieuw. De rechter en O'Connor verdeelden de stokjes in twee stapeltjes. O'Connor wees er op, dat ze met minder dan vijftig stokjes misschien fiches tekort zouden komen. Rechter Comyn had daar ook een oplossing voor. Ze braken de stokjes in tweeën; de helft met een zwavelkop was tweemaal zoveel waard als de helft zonder.

O'Connor verklaarde, dat hij zijn persoonlijke vakantiegeld van ruim £ 30 bij zich had en het spel tot die limiet wilde spelen. Het kwam bij niemand van de anderen op de chèque van Comyn af te wijzen; hij was zo op en top een heer.

Daarna leenden ze de priester tien lucifershoutjes met kop en vier zonder kop, van allebei de helft.

'Nou,' zei rechter Comyn, die de kaarten schudde, 'wat zetten we in?'

O'Connor stak een half lucifershoutje zonder kop op. 'Tien shilling?' zei hij. Dat bracht de rechter even van zijn stuk. De veertig lucifers, die hij uit zijn doosjes had gehaald, waren nu in tachtig helften gebroken, met een waarde van £ 60, wat in 1938 een aanzienlijk bedrag was. De priester had £ 12 voor zich liggen, de twee andere mannen elk £ 24 tegen die waarde. Hij hoorde de priester zuchten.

'Als ik meedoe voor een penny, doe ik mee voor een pond. De Here sta me bij,' zei de priester.

De rechter knikte kortaf. Hij had zich niet ongerust hoeven maken. Hij won de eerste twee ronden en daarmee bijna £ 10. De derde maal paste O'Connor vroeg, waarbij hij opnieuw zijn inzet van 10 shilling verloor. De priester legde vier stokjes van £ 1 neer. Rechter Comyn keek naar zijn kaart; hij had een full house, boeren op zevens. Dat moest beter kunnen. De priester had nog £ 7 over.

'Ik doe er vier pond bij, eerwaarde,' zei hij, zijn stokjes naar het midden schuivend, 'en ik verhoog met vijf pond.'

'O, hemeltje,' zei hij, 'ik ben bijna blut. Wat kan ik doen?'

'Eén ding maar,' zei O'Connor, 'als u niet wilt, dat meneer Comyn verhoogt tot een bedrag dat u niet kunt inzetten, moet u vijf pond naar voren schuiven en vragen om de kaarten te zien.'

'Ik wil de kaarten zien,' zei de priester, alsof hij een rituele uitspraak deed, terwijl hij vijf lucifershoutjes met koppen naar voren schoof. De rechter legde zijn full house neer en wachtte. De priester legde vier tienen uit. Hij kreeg zijn £ 9 terug, plus nog eens £ 9 van de rechter plus de 30 shilling uit de pot. Met zijn £ 2 die hij nog had, had hij £ 21 10s.

Op deze manier kwamen ze in Limerick Junction aan, dat zoals het een Iers spoorwegstelsel betaamt, helemaal niet bij Limerick, maar even buiten Tipperary ligt. Hier reed de trein het hoofdperron voorbij en vervolgens achterwaarts weer terug, omdat het perron niet via de benedenlijn te bereiken was. Er stapten enkele mensen in of uit, maar niemand verstoorde het spel of kwam de coupé binnen.

Bij Charleville had de priester £ 10 van O'Connor gewonnen, die een bedrukt gezicht trok. De vaart was uit het spel verdwenen. O'Connor was geneigd snel te passen en te veel ronden eindigden ermee dat een andere speler ook paste. Vlak voor Mallow, haalden ze in onderlinge afspraak alle kleine kaarten eruit, zodat de zevens en de kaarten erboven overbleven en maakten een spel van tweeëndertig kaarten. Toen kwam er weer wat tempo in het spel.

Bij Headford was de arme O'Connor £ 12 armer en de rechter £ 20, allebei aan de priester.

'Zou het geen goed idee zijn, als ik nu de twaalf pond waar ik mee begonnen ben, terugbetaalde?' vroeg de priester.

De beide anderen waren het daarmee eens. Ze kregen hun lening van £ 6 terug. De priester had nog £ 32 om mee te spelen. O'Connor bleef voorzichtig doorspelen en zette slechts eenmaal hoog in, waardoor hij £ 10 terugwon met een full house, en twee paar en een flush versloeg. De meren van Killarney gleden voorbij, maar niemand had er oog voor.

Voorbij Farranfore wist de rechter, dat hij de kaart in zijn hand had, waar hij op had zitten wachten. Na drie kaarten te hebben getrokken, keek hij verheugd naar vier vrouwen en een klaverzeven in zijn hand. O'Connor had zeker het idee dat hij ook een goede kaart had, want hij zette £ 5 bij die van de priester in en verhoogde met £ 5. Toen de priester in antwoord daarop er £ 5 bijlegde en met £ 10 verhoogde, werd O'Connor zenuwachtig en paste. Hij was alweer £ 12 onder het bedrag waarmee hij begonnen was.

De rechter beet op de nagel van zijn duim. Toen zette hij £ 10 bij die van de priester en verhoogde met £ 10.

'Vijf minuten naar Tralee,' zei de conducteur, die zijn hoofd om de deur van de coupé stak. De priester keek verschrikt naar de lucifershoutjes in het midden van de tafel en naar zijn eigen kleine hoopje, dat £ 12 waard was.

'Ik weet het niet,' zei hij, 'O, Heer, ik weet het niet.'

'U kunt niet meer verhogen, eerwaarde,' zei O'Connor. 'U zult moeten bijpassen en vragen om te zien.'

'Dat zal wel, ja,' zei de priester treurig en schoof £ 10 aan lucifershoutjes naar het midden van de tafel, zodat hij nog £ 2 overhield. 'En het ging zo goed. Ik had het weeshuis die tweeëndertig pond moeten geven toen ik ze nog had. Nu heb ik nog maar twee pond voor ze.'

'Ik maak er vijf pond van, eerwaarde,' zei rechter Comyn. 'Asjeblieft: vier vrouwen.'

O'Connor floot even. De priester keek naar de uitgelegde kaarten en toen naar zijn eigen kaart.

'Komen heren niet vóór vrouwen?' vroeg hij verbaasd.

'Als u er vier van hebt wel, ja,' zei de rechter.

De priester legde zijn kaarten op tafel.

'Maar die héb ik,' zei hij. En hij had ze. 'Here bewaar me,' zei hij ademloos, 'maar ik dacht dat alles verloren was. Ik dacht, dat u de royal flush wel zou hebben.'

Ze borgen de kaarten en de lucifershoutjes op toen ze Tralee binnenreden. O'Connor kreeg zijn kaarten terug. De rechter deed de gebroken stokjes in de asbak. O'Connor telde twaalf briefjes van een pond uit zijn zak uit en overhandigde ze aan de priester.

'God zegen je, mijn zoon,' zei de priester.

Rechter Comyn haalde spijtig zijn chèqueboekje te voorschijn. 'Precies vijftig pond, dacht ik, eerwaarde,' zei hij.

'Als u het zegt,' zei de priester, 'zal het wel zo zijn; ik weet niet eens meer waar we mee begonnen zijn.'

'Ik kan u verzekeren dat ik het weeshuis vijftig pond schuldig ben,' zei de rechter. Hij hield zijn pen klaar. 'Het Dingle weeshuis, zei u? Moet ik dat opschrijven?'

De priester leek in verwarring.

'Weet u, ik geloof dat ze niet eens een bankrekening hebben, zo klein is het,' zei de geestelijke.

'Dan kan ik hem beter op uw eigen naam uitschrijven,' zei de rechter en wachtte op zijn naam.

'Maar ik heb zelf ook niet eens een bankrekening,' zei de priester, in verlegenheid gebracht. 'Ik heb nooit met geld te maken gehad.'

'Er is ook nog een andere manier,' zei de rechter voorkomend. Hij schreef haastig, scheurde de chèque eruit en bood hem aan de priester aan. Deze is betaalbaar aan toonder. De Bank van Ierland in Tralee zal hem verzilveren. En we zijn precies op tijd, want ze sluiten over een half uur.'

'Wilt u zeggen dat ze me bij de bank hier geld voor geven?' vroeg de geestelijke, die voorzichtig de chèque vasthield.

'Ja, zeker, maar u moet oppassen dat u hem niet verliest. Hij is betaalbaar aan toonder, dus iedereen die hem in zijn bezit heeft zou het kunnen incasseren. Welnu, O'Connor, Eerwaarde, het is een hele boeiende, zij het dure reis geweest. Ik moet u goedemiddag wensen.'

'En ik ook,' zei O'Connor bedroefd. 'De Heer heeft u zeker de kaarten gegeven, eerwaarde. Ik heb zelden zo'n prachtkaart gezien. Het is een goede les voor me. Niet meer kaarten in treinen en helemaal niet met de Kerk.'

'En ik zal zorgen dat het geld voor zonsondergang bij het weeshuis is, dat het als geen ander zo verdient,' zei de priester.

Ze namen afscheid op het station van Tralee en rechter Comyn begaf zich naar zijn hotel. Hij had zin om vroeg naar bed te gaan, voordat de volgende ochtend de rechtszitting begon.

De eerste twee zaken waren eenvoudige kleine overtredingen, waarin de beklaagden bekenden schuldig te zijn en in beide gevallen deelde hij een boete uit. De juryleden van Tralee zaten erbij in gedwongen nietsdoen.

Rechter Comyn zat met zijn hoofd over zijn papieren gebogen, toen de derde gedaagde werd opgeroepen. Alleen het topje van zijn rechterspruik was zichtbaar voor de zaal die beneden hem zat.

'Laat Ronan Quirk O'Connor voorkomen,' zei de griffier met luide stem.

Er klonk een geschuifel van voetstappen. De rechter ging door met schrijven.

'Bent u Ronan Quirk O'Connor?' vroeg de griffier aan de nieuwe gedaagde.

'Jawel,' zei een stem.

'Ronan Quirk O'Connor,' zei de griffier, 'U wordt beschuldigd van bedrog bij het kaartspel, in strijd met artikel 17 van de Wet op het Kansspel van 1845. U zou op de dertiende mei van dit jaar, in het graafschap Kerry, door middel van bedrog of onwettige praktijken bij het kaartspelen, een bedrag geld van een zekere Lurgan Keane hebben gewonnen voor u zelf en daarbij het genoemde geldbedrag van deze Lurgan Keane onder valse voorwendsels hebben verkregen. Wat is uw antwoord op deze beschuldiging? Schuldig of onschuldig?'

Tijdens deze voordracht legde rechter Comyn ongewoon zorgvuldig zijn pen neer, bleef nog even naar zijn papieren kijken, alsof hij wenste het gehele proces op deze manier te kunnen leiden en sloeg eindelijk zijn blik op.

Het schriele mannetje met de spaniëlachtige ogen keek hem vanuit de zaal in stomme verbazing aan. Rechter Comyn keek met dezelfde afschuw naar de gedaagde.

'Onschuldig,' fluisterde O'Connor.

'Een ogenblikje,' zei de rechter, die onbeweeglijk in zijn stoel zat, terwijl de rechtszaal hem zwijgend zat aan te staren. Achter zijn uitgestreken gezicht waren zijn gedachten in heftige beroering. Hij had de zaak onmiddellijk kunnen stopzetten, met de verklaring dat de gedaagde hem bekend was.

Toen viel hem in, dat dit een nieuw proces zou hebben betekend, omdat de gedaagde nu officieel in staat van beschuldiging was gesteld, met alle extra kosten voor de belastingbetaler, die deze procedure met zich meebracht. Het kwam neer op die ene vraag, hield hij zichzelf voor: kon hij zichzelf voldoende vertrouwen, om de rechtszitting goed en rechtvaardig te kunnen leiden en een waarheidsgetrouwe samenvatting aan de jury te kunnen geven? Hij kwam tot de conclusie dat hij dat kon.

'Wilt u de juryleden beëdigen?' zei hij.

Dit deed de griffier en vroeg toen aan O'Connor, of hij rechtsbijstand had. O'Connor zei, dat dit niet het geval was en zijn eigen verdediging wilde voeren. Rechter Comyn vloekte in zichzelf, want de rechtvaardigheid gebood nu, dat hij het tegenover de openbare aanklager voor de beklaagde opnam.

Deze stond nu op om de feiten te presenteren, die, zo zei hij, eenvoudig genoeg waren. Op 13 mei was een kruidenier uit Tralee, ene Lurgan Keane, op de trein van Dublin naar Tralee gestapt om naar huis terug te keren. Hij had toevallig een bedrag aan contant geld bij zich van £ 71.

Gedurende de reis was hij een gokspelletje begonnen met de beklaagde en nog een persoon, waarbij zij een pak kaarten hadden gebruikt dat door de beklaagde was verschaft. Hij had daarbij zulke opvallende verliezen geleden, dat hij argwaan had gekregen. In Farranfore, een halte voor Tralee, was hij onder een voorwendsel uit de trein gestapt, had een spoorwegemployé aangeklampt en verzocht, dat er in Tralee op het perron politie aanwezig zou zijn.

Zijn eerste getuige was een brigadier van het politiekorps van Tralee, een grote, zware man, die een verklaring aflegde van de aanhouding. Hij getuigde dat hij naar aanleiding van ontvangen informatie, op 13 mei op het station van Tralee aanwezig was geweest, toen de trein uit Dublin binnenkwam. Daar was hij benaderd door een man die, zoals hij later vernam, de heer Lurgan Keane bleek te zijn, die hem de beklaagde had aangewezen.

Hij had de verdachte verzocht met hem mee naar het politie-bureau van Tralee te gaan, wat de man deed. Daar werd hem ver-zocht zijn zakken te ledigen. Onder de inhoud was een spel kaar-ten, die de heer Keane herkende als de kaarten die bij het poker-spel in de trein waren gebruikt.

Deze, zo zei hij, waren voor onderzoek naar Dublin gestuurd en na ontvangst van het rapport uit Dublin was de verdachte O' Connor van de overtreding beschuldigd.

Tot zover was alles duidelijk. De volgende getuige was van de afdeling Frauduleuze Zaken van de Garda in Dublin. Die had waarschijnlijk gisteren ook in de trein gezeten, peinsde de rechter, maar derde klas gereisd.

De rechercheur verklaarde onder ede, dat bij nauwkeurig on-derzoek was gebleken, dat het spel kaarten gemerkt was ge-weest. De openbare aanklager hield een spel kaarten omhoog en de rechercheur identificeerde het aan de hand van zijn eigen merkteken. Het spel werd aan hem overhandigd. Op welke wijze waren de kaarten gemerkt, informeerde de openbare aanklager.

'Op twee manieren, edelachtbare,' zei de rechercheur tegen de rechter. 'Door wat genoemd wordt "schaven" en "tinten". Elk van de vier kleuren wordt op de achterkant van de kaarten aan-gegeven, door op verschillende plaatsen van de rand iets af te schaven, aan alle kanten van de kaart, zodat het niet uitmaakt op welke wijze de kaart omhoog wordt gehouden. Het schaven zorgt ervoor dat het witte strookje tussen de rand van het patroon en de rand van de kaart in breedte verschilt. Dit verschil kan, al is het erg klein, van de overkant van de tafel opgemerkte wor-den en geeft zo aan de bedrieger aan, welke kleuren zijn tegen-stander in de hand heeft. Is het zo duidelijk?'

'Een toonbeeld van doorzichtigheid,' zei rechter Comyn, die strak naar O'Connor keek.

'De hoge kaarten, van de aas tot de tien, werden van elkaar on-derscheiden door tinten, d.w.z. om door middel van een chemisch preparaat hele kleine stukjes van het patroon op de achterkant van de kaarten iets donkerder of iets lichter te maken. De aldus aangetaste plekjes zijn buitengewoon klein, soms niet groter dan het puntje van een slinger in het ingewikkelde patroon, maar net voldoende om door de valsspeler aan de overkant van de tafel te worden opgemerkt, omdat hij precies weet waar hij op moet letten.'

'Zou de valsspeler ook oneerlijk de kaarten moeten ronddelen?' vroeg de aanklager. Hij was zich ervan bewust, dat de jury geboeid zat te luisteren. Het was weer eens iets anders dan paarden stelen.

'Oneerlijk ronddelen kan er bij te pas komen,' gaf de rechercheur van Frauduleuze Zaken toe, 'maar nodig is het niet.'

'Zou het mogelijk zijn van zo'n speler te winnen?' vroeg de aanklager.

'Uitgesloten, edelachtbare,' zei de getuige tegen de rechtbank. 'De valsspeler zou eenvoudig niet wedden, als hij wist dat zijn tegenstander een betere kaart had en hoge weddenschappen plaatsen als hij wist dat zijn eigen kaart beter was.'

'Geen verdere vragen,' zei de aanklager. Voor de tweede maal zag O'Connor af van kruisverhoor.

'U hebt het recht, de getuige iedere vraag te stellen die u wenst, met betrekking tot zijn getuigenverklaring,' zei rechter Comyn tegen de verdachte.

'Dank u, edelachtbare,' zei O'Connor, maar hield zijn mond.

De derde, laatste en kroongetuige van de openbare aanklager was de kruidenier uit Tralee, Lurgan Keane, die de getuigenbank binnenstapte als een stier in de arena en woedend naar O'Connor keek.

Aangespoord door de openbare aanklager vertelde hij zijn verhaal. Hij had die dag in Dublin een handelstransactie afgesloten, wat het grote bedrag in contant geld verklaarde, dat hij bij zich had gehad. In de trein was hij uitgelokt tot een spelletje poker, waarin hij een ervaren speler meende te zijn en vóór Farranfore was hij £ 62 lichter gemaakt. Hij had argwaan gekregen, omdat hoe veelbelovend de kaart ook was die hij in zijn hand had, hij steeds door een ander was overtroffen en geld had verloren.

In Farranfore was hij uit de trein gestapt, overtuigd dat hij was opgelicht, en had de politie in Tralee verzocht op het perron aanwezig te zijn.

'En ik had gelijk,' brulde hij tegen de jury. 'Die man speelde met gemerkte kaarten.'

De twaalf goede, eerlijke mannen knikten ernstig.

Deze keer stond O'Connor op, die nog treuriger keek dan anders en zo onschuldig als een kalf in de stal, voor een kruisverhoor. Meneer Keane keek hem woest aan.

'U zegt, dat ik het pak kaarten te voorschijn heb gehaald?' vroeg hij bedroefd.

'Dat hebt u gedaan,' zei Keane.

'Op welke manier?' vroeg O'Connor.

Keane keek niet begrijpend. 'Uit uw zak,' zei hij.

'Ja,' gaf O'Connor toe, 'uit mijn zak. Maar wat heb ik met die kaarten gedaan?'

Keane dacht een ogenblik na. 'U begon patience te spelen,' zei hij.

Rechter Comyn, die al bijna was gaan geloven in de wet van de samenloop van omstandigheden, voelde de grond weer onder zijn voeten wegzinken.

'En heb ik u eerst aangesproken,' vroeg de beklaagde, 'of hebt u eerst tegen mij gesproken?'

De stoere kruidenier zag er terneergeslagen uit. 'Ik heb tegen u gesproken,' zei hij en toen wendde hij zich tot de jury: 'Maar die man speelde zo slecht, dat ik er niets aan kon doen. Er lagen zwarte op rode en rode op zwarte kaarten, die hij niet kon zien, dus heb ik hem er op een paar attent gemaakt.'

'Maar toen het tot pokeren kwam,' hield O'Connor aan, 'heb ik toen een vriendschappelijk spelletje poker voorgesteld of u?'

'Dat deed u,' zei Keane nijdig, 'en u hebt voorgesteld om het wat spannender te maken met een klein gokje. Gokje, jawel. Tweeënzestig pond is een hele hoop geld.'

De jury knikte. Dat was het zeker. Genoeg om een werkman bijna een jaar te onderhouden.

'Is het niet zo,' zei O'Connor tegen Keane, 'dat ú het was, die een spelletje poker heeft voorgesteld en ú, die een gokje heeft voorgesteld en dat we daarvoor met lucifershoutjes speelden?'

De kruidenier dacht diep na. De eerlijkheid straalde van zijn gezicht. Iets in zijn geheugen werd wakker. Hij zou niet liegen.

'Misschien ben ik het wel geweest,' gaf hij toe, maar toen viel hem iets anders in. Hij wendde zich tot de jury. 'Maar dat is toch juist de hele kunst? Dat is precies wat een valsspeler doet: zijn slachtoffer uitlokken tot het spel.'

Hij was kennelijk dol op het woordje uitlokken, dat hij volgens de rechter net nieuw aan zijn woordenschat had toegevoegd.

'En dan tenslotte nog één ding,' zei O'Connor verdrietig, 'hoeveel heeft u mij bij het afrekenen betaald?'

'Tweeënzestig pond,' zei Keane kwaad. 'Met hard werken verdiend geld.'

'Nee,' zei O'Connor uit de verdachtenbank, 'hoeveel heeft u aan míj, persoonlijk, verloren?'

De kruidenier uit Tralee dacht diep na. Zijn gezicht betrok. 'Aan u niets,' zei hij. 'Het is de boer die gewonnen heeft.'

'En heb ik van hem gewonnen?' vroeg O'Connor, die nu keek alsof hij op het punt stond in tranen uit te barsten.

'Nee,' zei de getuige, 'u hebt ongeveer acht pond verloren.'

'Geen verdere vragen,' zei O'Connor.

Meneer Keane stond op het punt de getuigenbank te verlaten, toen de stem van de rechter hem terugriep. 'Een ogenblikje, meneer Keane. U zegt "de boer heeft gewonnen". Wie was deze boer precies?'

'De andere man in de coupé, edelachtbare. Het was een boer uit Wexford. Geen goede speler, maar hij heeft gewoon geluk gehad.'

'Bent u nog achter zijn naam gekomen?' vroeg rechter Comyn.

Meneer Keane trok een bedrukt gezicht. 'Helaas niet,' zei hij. 'De verdachte had de kaarten in zijn bezit. Hij heeft wel degelijk geprobeerd mij te bedriegen.'

De aanklager was klaar en O'Connor kwam naar voren om zichzelf te verdedigen. Hij werd beëdigd. Zijn verhaal was even eenvoudig als meelijwekkend. Hij kocht en verkocht paarden om zijn brood te verdienen en dat was geen misdaad. Hij mocht graag een spelletje kaart voor zijn plezier spelen, maar hij was er geen expert in. Een week voor de treinreis van 13 mei had hij in een café in Dublin een glas donker bier zitten drinken, toen hij op de houten bank iets hards bij zijn dij voelde.

Het was een pakje kaarten, dat iemand die voor hem in dat hoekje had gezeten blijkbaar had laten liggen en dat niet bepaald nieuw meer was. Hij overwoog om het aan de barman af te geven, maar begreep dat zo'n pakje versleten kaarten toch geen enkele waarde had. Daarom had hij ze maar gehouden en zich ermee vermaakt, om op zijn lange reizen op zoek naar een veulen of een merrie voor zijn klanten, patience te spelen.

Als de kaarten gemerkt waren, wist hij er in ieder geval niets van. Hij wist ook niets van dat schaven en tinten, waar de rechercheur over gesproken had. Hij zou niet eens weten, waar hij op de achterkant van zijn pakje kaarten, dat hij op een bank in het café had gevonden, naar moest kijken.

Wat die kwestie van bedrog betrof, wonnen bedriegers dan niet? vroeg hij aan de jury. Hij had op die reis £ 8 10s verloren, aan een wildvreemde. Hij vond zichzelf een sufferd, omdat de boer almaar achter elkaar de goede kaarten had gekregen. Als meneer Keane geld had ingezet en misschien meer had verloren dan hij, kwam dat misschien omdat meneer Keane wat roekelozer was dan hij. Maar wat bedrog aangaat, daar had hij niets mee te maken en dan zou hij vast niet zoveel van zijn eigen zuur verdiende geld verloren hebben.

Bij het kruisverhoor trachtte de openbare aanklager zijn verhaal te ontzenuwen, maar het schriele mannetje hield er, zich uitputtend in verontschuldigingen, hardnekkig aan vast. Tenslotte moest de openbare aanklager weer gaan zitten.

O'Connor nam weer plaats op de verdachtenbank, om op de samenvatting te wachten. Rechter Comyn keek door de zaal naar hem. Je bent een stakker, O'Connor, dacht hij. Of je verhaal klopt en in dat geval ben je wel een bijzonder onfortuinlijke kaartspeler; of het klopt niet, in welk geval je wel de onhandigste valsspeler ter wereld moet zijn. In beide gevallen heb je met gebruik van je eigen kaarten tweemaal aan vreemden in treinen verloren.

Voor zijn samenvatting kon hij zich die keuze echter niet veroorloven. Hij wees de jury er op, dat de verdachte had verklaard dat hij de kaarten in een café in Dublin had gevonden en zich er totaal niet van bewust was dat het een gemerkt spel was. De jury kon daar zijn eigen ideeën over hebben; het was echter een feit, dat de openbare aanklager niet bewezen had dat het onwaar was, en in de Ierse wet lag de bewijslast bij hen.

Ten tweede had de verdachte verklaard, dat niet hij, maar de heer Keane met het voorstel om te pokeren en om geld te spelen was gekomen en de heer Keane had toegegeven, dat dit niet uitgesloten was.

Belangrijker echter was de aanklacht, dat de verdachte onder valse voorwendsels geld van getuige Lurgan Keane had afgetroggeld. Of die voorwendsels nu al of niet juist waren, getuige Keane had onder ede toegegeven dat de verdachte geen geld van hem had gewonnen. Zowel hij, de getuige, als de verdachte hadden geld verloren, al verschilden de bedragen aanzienlijk. Dit was het zwakke punt in het proces. Het was zijn plicht de jury in overweging te geven de verdachte vrij te spreken. Zijn rechtszaal kennende, wees hij er ook op dat het over een kwartier tijd voor de lunch was.

Het moet wel een zaak van buitengewoon groot juridisch belang zijn om een jury in Kerry van de lunch af te houden en de twaalf goede mannen waren tien minuten later terug met de uitspraak: Onschuldig. O'Connor werd van rechtsvervolging ontslagen en verliet de verdachtenbank.

Rechter Comyn trok in de kleedkamer achter de rechtszaal zijn toga uit, hing zijn pruik aan een haakje en wandelde het gebouw uit om zelf ergens te gaan lunchen. Zonder toga, bef of pruik liep hij geheel onopgemerkt langs de menigte op het trottoir voor het gerechtsgebouw.

Hij stond op het punt de weg naar het grootste hotel van het stadje over te steken, waar zoals hij wist een fijne Shannon-zalm wachtte om door hem genoten te worden, toen hij een prachtige glanzende dure limousine van het hotelterrein weg zag rijden. Aan het stuur zat O'Connor.

'Kijk, dat is toch die man van u?' vroeg een verwonderde stem naast hem. Hij keek even opzij en zag de kruidenier uit Tralee staan.

'Inderdaad, ja,' zei hij.

De limousine zwenkte van het hotelterrein af. Er zat een geheel in het zwart geklede passagier naast O'Connor.

'Ziet u wie daar naast hem zit?' vroeg Keane verbaasd.

De wagen kwam in hun richting aanzoeven. De geestelijke, die zich zo uitsloofde om de wezen van Dingle te helpen, schonk hem een welwillende glimlach en stak twee gestrekte vingers tegen de twee mannen op het trottoir op. Toen reed de limousine de straat door.

'Was dat een kerkelijke zegen?' vroeg de kruidenier.

'Het is mogelijk,' gaf rechter Comyn toe, 'maar ik betwijfel het.'

'En waarom had hij die kleren aangetrokken?' vroeg Lurgan Keane.

'Omdat hij een priester van de heilige kerk is,' zei de rechter.

'Dat is hij helemaal niet,' stoof de kruidenier op. 'Hij is een boer uit Wexford.'

Frederick Forsyth

De honden van de oorlog

De Engelse magnaat Sir James Manson ontdekt platina
in de bodem van Zangaro, een tot dan toe
onbetekenend staatje in West-Afrika, dat wordt
geregeerd door een Amin-achtig despoot en sadist. Sir
James besluit diens regime door een staatsgreep omver
te werpen en geeft enkele vertrouwelingen opdracht de
beste huurmoordenaar voor deze operatie te zoeken.
De keus valt op Cat Shannon, een Engelsman van Ierse
afkomst, met soortgelijke ervaring in Nigeria en de
toenmalige Kongo.
Voor de hele operatie zijn precies honderd dagen
uitgetrokken en de voorbereidingen en financiering
ervan verlopen volgens een minutieus, uniek systeem.
Aanvankelijk gaat alles volgens plan, maar op het
allerlaatste moment doet zich iets voor dat Manson over
het hoofd ziet...

De honden van de oorlog werd op magistrale wijze
verfilmd onder regie van John Irving, met in de hoofdrol
Christopher Walken als Cat Shannon.

ISBN 90 229 7841 9

Frederick Forsyth

De onderhandelaar

De zoon van de president van de Verenigde Staten
wordt door een internationale bende misdadigers
ontvoerd. Slechts één man is in staat om met deze
professionals te onderhandelen: Quinn.

Maar Quinn – de man die ooit wereldfaam genoot als
onderhandelaar in de meest geruchtmakende
ontvoeringszaken – leeft in afzondering in de heuvels
van Andalusië sinds de dramatische afloop van zijn
laatste zaak, toen hij begreep hoe weinig waarde de
wereld hecht aan het leven van een kind.
Toch laat hij zich, onder druk van de autoriteiten,
overhalen tot deze speciale opdracht, op voorwaarde
dat het belang van de jongen voorop wordt gesteld.
Door zijn onconventionele werkwijze jaagt hij zowel de
FBI als de CIA tegen zich in het harnas, maar
desondanks weet hij de onderhandelingen in goede
banen te leiden. Tot het moment dat de zaak een
gruwelijke wending neemt, die hem doet beseffen dat
het lot van de jongen slechts inzet was van een wereld-
omvattend politiek komplot waarvan hij de reikwijdte
met geen mogelijkheid kan overzien.

ISBN 90 229 7844 3

Frederick Forsyth

Het Vierde Protocol

Kerstmis 1986. In een chique flat in Londen wordt een gecompliceerde juwelendiefstal gepleegd. De inbreker heeft echter maar weinig plezier van de buit. In zijn haast nam hij ook een tas met uiterst geheime documenten mee en dat wordt hem al snel noodlottig. Deze papieren èn de reactie van de bestolen hoge ambtenaar van Buitenlandse Zaken brengt de geheime dienst zowel van Rusland als van Engeland in staat van alarm.

Terwijl de onkreukbare John Preston de halve wereld over reist om de ware identiteit van een verdachte geheim agent te achterhalen, nestelt de meedogenloze Russische majoor Valeri Petrofski zich onopvallend in een rustig Engels plattelandsdorpje vanwaaruit hij een monstrueus plan dirigeert. Op uiterst geraffineerde wijze slaagt hij erin een kernbom in onderdelen langs de douane te laten smokkelen.

En zo dreigt het bijna vergeten Vierde Protocol dat deel uitmaakt van het in 1968 door de grote mogendheden opgestelde verdrag ter voorkoming van verspreiding van kernwapens en dat 20 jaar lang als een tikkende tijdbom heeft gesluimerd, alsnog tot ontploffing te komen...

ISBN 90 229 7842 7

Lees ook van A.W. Bruna Uitgevers B.V.

Frederick Forsyth

Het alternatief van de duivel

In *Het alternatief van de duivel* weet de auteur op briljante wijze een aantal schijnbaar niets met elkaar uitstaande gebeurtenissen samen te laten komen in een zeer verrassende ontknoping.

De Amerikaanse president Matthews, de Russische partijleider Maxim Roedin, de Engelse geheim agent Munro, een Russische geheim agent in een gecompliceerde dubbelrol en een groepje jonge Oekraïners in ballingschap dat eerst de KGB een dodelijke slag toebrengt en vervolgens 's werelds grootste tanker kaapt om daarmee de vrijlating van twee Russische gevangenen af te dwingen, vormen de talrijke stukjes uit een complexe legpuzzel.

Het alternatief van de duivel laat in een mengeling van spionage, suspense, politiek en avontuur op geraffineerde wijze zien hoe een wereldcrisis door het onbedoeld samenvallen van een aantal toevallige gebeurtenissen en menselijk falen bijna onafwendbaar dreigt te worden.

ISBN 90 229 7843 5

Lees ook van A.W. Bruna Uitgevers B.V.

Frederick Forsyth

Geheim dossier Odessa

Odessa is de afkorting voor *Organisation der Ehemaligen SS-Angehörigen,* een besloten organisatie van voormalige SS'ers. De voornaamste doelstellingen zijn: eer- en functieherstel voor oud-SS'ers, infiltratie in partijpolitieke activiteiten, de leden op belangrijke handels- en industrieposten manoeuvreren en... niet in de laatste plaats, via propaganda het Duitse volk ervan overtuigen dat de SS'ers in de Tweede Wereldoorlog geen nietsontziende moordenaars waren, maar vaderlandslievende soldaten die niet meer dan hun plicht hebben gedaan.
De activiteiten lijken het beoogde resultaat te hebben. Tot in het voorjaar van 1964 bij het Ministerie van Justitie in Bonn een bundel documenten bezorgd wordt. Dit opzienbarende pakket zal bekend worden als *Geheim dossier Odessa* en zal voor velen verstrekkende gevolgen hebben...

Geheim dossier Odessa werd verfilmd met o.a. Jon Voight, Maximilian Schell en Derek Jacobi in de hoofdrollen.

ISBN 90 229 7840 0